KB096284

# 연애보다 서툰 나의 독서 일기

머리말

내 대학시절 바이블은 앙드레지드의 <지상의 양식>이었다. “그대여 잠 못 들고 헤매는 밤, 나는 그대 곁으로 가고 싶다”던 지드의 속삭임은 꽤 오래 나를 지배하였다.

이후로 나는 글과 관련된 일을 하면서 먹고 살았고 이젠 아예 1인 출판을 하고 있다. 아무리 부정하려 해도 지금의 나를 만든 8할의 바람은 역시 책이 아니었나 한다.

이 글은 대학원 문학과 시절 발제문과 브런치스토리 작가로서 게재한 글을 정리해서 한 데 묶어본 것이다. 요시모토 바나나의 <달빛 그림자>는 내가 처음 tv를 쓸 때 접했던 글이어서 더더욱 각별한 애정이 느껴지는 작품이다.

무수한 책들을 읽으면서 더러는 영향을 받기도 하였던 내 지난날에 아득한 향수를 느낀다.

이 책에 수록된 작품들은 순전히 필자가 자의적으로 선택한 작품들이며 대부분이 소설로 이루어있다. 단 하나 예외가 있다면 양영제의 <재혼하면 행복할까>(개정판)만은 우리 사회 다양한 결혼 문화와 홀몸의 문제를 다룬 사회심리학서라고 할 수 있다 그러나 후반에 관련 소설들이 첨부돼 역시 문학서로도 읽힐 수 있다.

따로 참고자료를 쓰지 않은 부분도 책 말미의 후기나 해설을 참고한 경우가 많았고 그림들은 대부분 google에서 빌려 왔음을 밝힌다.

지은이

박순영

방송작가/소설가/브런치스토리작가/1인출판 <로맹> 대표

소설집 <응언의사랑> <페이크><엑셀>
사회심리서 <재혼하면 행복할까, 개정판>(공저)
예술에세이 <낭만주의는 페시미즘이다>

한국외국어대 영어과 졸업,
성균관대 대학원 비교문화전공 문화학 석사

차례

1.요시모토 바나나 단편 <달빛그림자>
-이 장면은 울면서 몇 번이나 되새긴 장면이다. 가면 안 된다고...

요시모토 바나나 (1964-)는 일본의 진보적 사상가이자 작가인 요시모토 다카아키의 차녀다. 그녀가 니혼대학 예술학부를 졸업하고 졸업작품으로 쓴 <달빛 그림자>가 학부장상을 받았다는 이야기는 유명하다. 바나나는 이작품이 수록된 <키친>으로 화려하게 데뷔했다.

<키친>에 수록된 <달빛 그림자>는 그 한 작품만으로도 바나나의 세계를 명료하게 보여준다. 그 안엔 삶과 죽음의 간극, 오컬트적 몽환, 그리고 상처의 이야기가 쓰여있다.

어느 겨울날, '나'는 차사고로 애인을 잃고 '히라기'는 형과 애인을 동시에 잃는다. 그리곤 그 둘이 힘겹게 겨울을 나는 이야기가 주 내용인데 삶과 죽음의 경계인 '강'과 '다리'가 그 애잔함을 더한다.
거기다, 우라라라는, 오컬트적 영매가 등장해 산 자

와 죽은 자를 재회시켜주는 역할을 하는데 이 신비로운 설정 또한 바나나의 문학세계를 관통하는 주제이기도 하다.

바나나의 글은 복잡다단하다. 쉽게 읽힐 뿐, 글쓰기 과정을 추체험하면 세상과 삶, 인간의 미추를 적확하게 짚은 뒤 자신만의 언어와 서정의 세계로 따스하게 포장한다. 거기에 오컬트적 영의 세계가 등장한다는 것은, 그만큼 지상의 삶이 척박함을 환기시켜주는 것이라 할 수 있다

요시모토 바나나 1964-

"내게 그 강은, 히토시와 나의 국경이었다. 그 다리를 떠올리면 거기에 서서 기다리는 히토시가 보인

다. 항상 내가 약속 시간에 늦어  늘 그가 먼저 기다리고 있었다. 돌아오는 길에도 항상 우리는 거기서 강을 사이에 두고 헤어졌다. 마지막에도 그랬다”

이 소설의 주 독자는 청춘들이다. 죽음이라는 음울한 소재를 다루면서도 철없고 낭만적인 청춘의 모습 또한 그려지는데,

“우리는 심한 싸움도 했고 잠시 바람을 피우기도 했다. 욕망과 사랑의 균형에 괴로워한 적도 있고 너무 어려서 서로에게 상처를 입힌 일도 더러 있었다....”

그런가 하면 망자에 대한 그리움이 처절하게 보여진다.

“이 장면은 울면서 몇 번이나 되새긴 장면이다. 다리를 건너 쫓아가서, 가면 안된다고 ...”

사츠키는 ‘영매’인 우라라를 통해 강에서 망자 히토시와 재회한다. 환언하면, 사츠키가 히토시의 죽음을

재확인하고 온전한 이별을 하는 장면이기도 하다. 이런 망자 체험을 통해 비로소 사츠키와 히토시의 동생 히라기는 '저세계 인연들'에게 온전한 작별을 고하는 것이다.

이렇듯 <달빛 그림자> 속 재회는 깔끔하고 인상적으로, 감기 기운을 빌어 몽환적으로, 그러나 삶과 죽음의 완전한 선 긋기로 그려진다.

그 고통의 겨울을 지나 두 사람은 이제 봄 초입에서 있다. 강이 더욱 아름답고 세상이 온통 따스한 그런 시간 앞에. 아직은 '그들'과 이별한 지 얼마 되지 않지만 시간이 흐르면서 그들의 유품 (방울과 세일러복)도 점점 그들의 기억에서 잊혀질 것이다.

이 작품을 처음 읽은 지 오랜 시간이 흘렀고 바나나 작품 대부분을 읽었지만, <달빛 그림자>만큼 애절하고 슬픔의 정석을 잘 보여준 작품도 없다고 감히 단언한다. 그만큼 이 작품은 명징한 삶과 죽음의 이야기며 청춘의 러브스토리이자, 가장 가슴 아픈 '겨울이야기'라 할 수 있다.

사츠키와 히라기가 슬픔을 극복해내는 과정은 실로 눈물겹다. 그럴 힘으로 살아내라고 바나나는 우리에게 얘기하는건 아닐까?

## 2. 히가시노 게이고 장편 <새벽 거리에서>
### -어두운 그림자를 가진 상대에게 이끌림

덴마크 소프트 락 그룹 MLTR의 노래 “that's why you go away”를 들어보면 “내가 아무리 노력을 해도 넌 만족을 못했지. 그러더니 이젠 내게 안녕을 고하는구나”라는 대목이 나온다. 그토록 사랑은 자기 위주의 변덕스런 게임은 아닐까?

이 <새벽 거리에서>역시 어떻게 보면 사랑의 변덕을 다루고 있다 할 수 있다. 도입부에서 화자가 불륜에 대해 이런저런 상념을 늘어놓는 것 역시 기존 사랑에서 일탈하고픈 변덕스러움을 말해준다. 그만큼 사랑은 한사람을 소유하고 싶다는 강렬한 욕구에 의해 이루어진 뒤 그 감정이 다 하면 또 다른 상대를 찾아 나서는 지극히 이기적인 반복적 행위라 할 수 있다.

41세 평범한 유부남 샐러리맨 와타나베는 어느 날 임시직으로 들어온 젊은 여성 아키하에게 반하게 되고 처음의 다짐과는 달리 끝내는 그녀와 깊고 긴 불륜에 들어간다. 그러면서도 가정만은 지키겠다고 다짐하고 아키하 역시 그가 이혼하는 걸 원치 않는다고 한다. 그러나 그녀가 어쩌면 15년전 자기 집에서 일어난 살인사건의 용의자일 수 있다는 전제가 생겨나면서부터 아키하는 와타나베에게 무섭게 집착하고 은근 이혼을 종용하기도 한다.

내연녀와 가정 사이에서 방황하는 와타나베는 어쩜 자신의 새로운 선택 상대가 "살인자"일 수 있다는 혼란에 빠지는데...그렇게 이 소설은 불륜과 치정을 깔고 가는 미스터리의 형태를 띄고 있다. 여타의 게이고의 작품들처럼 이 작품 역시 쉽고 섬세하게 그 과정을 그려나가고 후반엔 물론 반전이 존재한다. 그러나 모든 주요 에피소드는 역시 불륜, 즉 치정이고 이것은 어떻게 보면 빗나간 사랑의 또 다른 행태일 수 있다는 생각을 하게 된다.

사랑이라는 이름으로 행해지는 온갖 기만과 이기심, 잔인함을 이 작품은 새롭게 부각시키고 있다. 게이고 작품 최고의 덕목은 가독성일 것이다. 제 아무리 매력있고 흥미로운 이야기라 해도 잘 읽히지 않으면

다 소용없다.
물론 이런 작품들이 갖는 한계가 없는 건 아니지만, 문학이 그 안에 꼭 심오한 철학적, 사회적 메시지를 가질 필요는 없다. 소설이 '내러티브'가 1순위인 장르라면 그런 의미에서 히가시노 게이고는 최적의 작가라 할 수 있을 것이다.

불륜에 빠진 남자들의 초기 심리가 잘 드러나는 대목이다.
"불륜에 빠진 남자에게 겨울은 고통의 계절이다. 크리스마스이브를 겨우 넘겼는가 싶으면 곧 설날이 다가온다. 사랑하는 그녀와 함께 할 수 없는 것이다. "

정말 큰 문제는 대부분의 '아내'들이 남편의 외도를 알아차린다는 게 아닐까?
"크리스마스 이브 아침에 보았을 때 산타는 아무런 이상이 없었다..내가 아키하와 만나는 동안...산타가 모조리 부서진 것 아닐까? 유미코가 자신이 정성 들여 만든 산타를 하나하나 찌그러뜨리는 모습이 머릿속에 그려졌다."

그럼에도 배우자 (특히 아내들)는 가능하면 내색을

하려 하지 않는다. 그것은 “파멸의 방아쇠를 당기는 일이 될까 봐서”라고 와타나베는 생각한다.

이 작품은 50대 이상 중년남성으로 구성된 일본 그룹 “서던 올 스타스”의 곡 "love affair“에서 그 힌트를 얻은 작품이라고 한다.

"새벽 거리에서 스쳐 지나가는 것은
달의 잔해와 어제의 나
두 번 다시 되돌릴 수 없는 경계를 넘은 후
아아, 나의 쓰라린 가슴
뒤돌아 볼 때마다 안타까운 건
내 등 뒤를 향한 너의 시선
너와 함께할 수 없는, 황혼에 물든 귀로 "

히가시노 게이고 1958-

소설의 전반은 아름다운 요코하마 항구를 배경으로 와타나베와 아키하의 불장난같은 사랑이 펼쳐지고 후반은 살인에 대한 미스터리가 풀려나가는 형태를 취하는 이분법적 구성이라 할 수 있다.

게이고 작품 속 사랑은 크게 두가지로 집약되는데

하나는 지고지순한 사랑, 그리고 또 하나는 어두운 그림자를 가진 상대에게 운명적으로 이끌리는 사랑, 이렇게 나뉠 수 있고 이 작품은 후자라 할 수 있다.

히가시노 게이고는 전기공학부를 졸업한 뒤 힘들게 추리소설로 데뷔해 다작을 하는  현재 한국내 최고의 인기 일본 작가이기도 하다.  하루키가 다소 관념적이고 사변적이라면 게이고는 가능한한 쉬운 내러티브 코드를 따라 가기 때문일 수 있다. 이렇게 히가시노 게이고는 전업 작가로서의 대중성과 미학성, 작품성을 골고루 갖춘 몇 안되는 우리 시대 작가 중 하나로 자리매김했다

3. 헤닝 만켈 장편 <이탈리아 구두>
-사람들이 가까이 있는 이유는 헤어지기 위해서야.

언젠가 차를 타고 남도를 지나간 적이 있다. 드문 드문 떠있는 섬들, 바다에 떨어지던 햇살, 부표,그리고 오랫동안의 잔상.
그렇다면 북구의 다도해, 그중에서도 스웨덴의 다도해는 어떨까? 이 책을 선택한 가장 큰 계기는 '스웨덴의 다도해를 배경으로'라는 구절이었던 걸로 기억된다.
쿠르트 발란데르 경감시리즈로 이미 전세계적인 팬을 거느린 작가라고 하는데 난 완전 초면이었다.

그렇게 만켈과의 첫 대면으로 <이탈리아 구두>를 택했고 다소 많은 분량이라는 거 외에는 음울하고 서정적인 작품의 전체 분위기가 내 취향에 맞아 빠르게 읽어냈다.

스웨덴을 대표하는 작가 헤닝 만켈 (henning mankell 1948-2015) 은 어릴 때 모친이 집을 나가버린 기구한 운명의 소유자다. 이후 그는 파리에서 방탕한 생활을 하다 귀국, 극단 일을 하며 글을 쓰기 시작했다. 소설로 어느 정도 삶의 기반을 잡은 후에는 아프리카 인권에 관심을 가져 스웨덴과 모잠비크를 오가며 생활했고 모잠비크에선 극단을 꾸려 아프리카의 열악한 인권 상황을 외부세계에 알리는데 주력했다.

말년에, '죽지는 않는 불치병'판정을 받고 고심, 결국 죽음을 택한 것으로 알려져 있다.

<이탈리아 구두>의 주인공 프레드리크 벨린은 인정받는 외과의사의 삶을 살다 12년 전의 의료 과실로 인해 스웨덴 다도해 지역의 한 섬에 칩거하게 된다. 그러다 어느날, 40년 전 자신이 배반한, 암판정을 받은 옛연인 하리에트와 재회하고, 둘 사이에 딸 루이제가 있음을 알게 된다.

하리에트는 40년전에 했던 '숲속 연못'에 대한 약속을 지키라고 부탁하고 그 연못을 향해 그녀와 마지막 여행을 떠난다. 그리고 얼마 후 그녀는 죽고, 자신의 실수로 멀쩡한 팔을 절단당한 여자 앙네스와 만나게 되는데, 12년간 외롭게 살아온 탓에 그녀를 강제로 안으려다 거부당하고 괴로워한다. 그렇게 앙

네스와도 헤어지고 그녀와 함께 살던 시마라는 소녀도 자신의 집에서 자살하고 기르던 개도 죽는다. 그 일로 그는 인생무상을 다시 한번 경험하지만 딸 루이제의 선물로 1년만에 받은 이탈리아 구두 덕에 다시 활기를 되찾는다. 완전한 삶은 불가능해도 최선은 다할 수 있다는 생각을 하면서.

이렇게 혼자서 스스로를 가둔 채 살아가던 벨린은 하리에트, 루이제, 앙네스 등을 통해 관계의 의미와 결속력을 새삼 확인하는 전기를 맞는 것이다. 즉 40년전의 약속을 지키기 위해 마지못해 떠난 여행이 결과적으로 그를 세상 속으로 돌아오게 하는 출구가 된 셈이다. 마지막 장면에서 주인공은 '늘 끌고 다니던' 개미집을 집밖으로 펴냄으로서 평생의 슬픔이나 불안과 결별하라고 나직이 속삭인다.

헤닝 만켈 1948-2015

12년전 의료 과실로 의사를 그만둔 뒤 다도해 한 섬에 틀어박혀 지내는 벨린에게 집배원 얀손은 유일하게 대면하는 인물임에도 둘 사이엔 정신적 교류가 전혀없다.

“난 사실 얀손에 대해 아는 게 거의 없다. 이름이 투레이고 집배원이라는 것밖에는. 나는 그를 모르고 그도 나를 모르지만, “

인간의 감성을 홀리기도 하지만 때로는 마비시키기도 하는 외로운 다도해의 정경이 자주 묘사되는데,"
성탄절이 지나고 12월 31일도 지나갔다.
1월 3일, 핀란드 만에서 다도해로 눈보라가 불어왔다"

40년전 자기가 버린 여자 하리에트가 꿈처럼 ,기적처럼 얼음장을 지나 자기에게로 오는 걸 목격한다.

"저편 얼음장 위에 사람이 서 있었다.
천지가 온통 하얀 풍경 속에 서 있는 검은 물체. 태양은 바로 수평선 바로 위에 놓여 있었다. 누구인지 보려고 눈을 한번 감았다 떴다. 여자였다. 자전거에 기대어 서 있는 듯 했으나, 자세히 보니 보행 보조기였다."

그리고는 그녀와 행복했던 1966년 봄을 회상한다 .

"1966년 봄은 너무나 아름다웠다. 도시는 끓어 넘칠 듯 했다. 뭔가 일이 벌어지기 직전이었다. 우리 세대는 거대한 둑을 허물어 사회의 문을 열어 젖혔으며,

변화를 요구했다. 그 무렵 하리에트와 나는 해질녘에 시내를 쏘다니기 좋아했다“

그러나 벨린은 결국 그녀를 버리고 사라졌다.

”나는 그녀에게 작별인사조차 하지 않고 그냥 사라졌다. 미국에 있는 동안 아무 연락도 하지 않았다. 그녀의 생활에 대해서도 물론 알지 못했다. 알고 싶지 않았다. 그녀가 자살하는 꿈을 꾸다가 깨는 날도 있었다. 양심에 가책을 느꼈지만, 나는 언제나 양심을 마비시켰다. 그녀의 모습이 기억에서 서서히 사라져갔다.“

40년만에 다시 만난 하리에트는 그때 했던 약속을 지키라고 당부하는데,

”‘비난하려는게 아니야, 약속을 지키라고 부탁하러 왔어’

나는 그게 무슨 뜻인지 금방 알아차렸다.
숲속 연못“

그래서 벨린은 결국 그 연못을 찾기 위해  하리에트와 마지막 여행을 떠나기로 한다.

그러면서 그는 문득 그동안 자신이 치졸하게 살아온 걸 느낀다.

"'보고 싶었지. 하지만 그리움은 나를 나약하게 만들 뿐이야. 난 그리움이 두려워'"

그것은 어쩌면 어린 시절 버려짐에 대한 공포에서 오는 걸지도 모른다.

"나는 한없이 길게 느껴지던, 그러나 사실은 분명히 아주 짧은 시간이었을 그 순간 엄청난 공포를 느꼈다. 아버지가 나를 버리려 한다고 생각했다."

그러면서 존재의  외로움을, 궁극적으로는 혼자 남게 될 것임을 토로한다.

"'아버지가 혼자 숲속 연못에서 헤엄을 친다. 나는 벌거벗은 채 나무들 사이에 서서 아버지를 바라보고 있다.'우리는 서로에게 속해있긴 하지만 이미 헤어진 사람들이었다'.
사람들이 서로 가까이 있는 이유는 헤어지기 위해서야. 그 이유 말고는 없어"

눈앞에 연못이 나타나자 하리에트는 그간 참았던 원망과 울분을 쏟아낸다.

"당신 때문에 난 지옥같은 고통을 겪었어. 당신을 잊으려고 안간힘을 썼지만 잊지 못했어. 당신이 약속한 연못에 드디어 서고 보니, 당신을 찾은 게 후회가 되네...난 이제 곧 죽어.
침묵, 그리고 서로 피하는 눈길.... 소풍의 끝이 다가오고 있었다."

그러나 하리에트로부터 둘 사이의 딸인 루이제의 존재를 듣게 되고, 그는 12년의 은둔 생활에 드라마틱한 반전이 일어나고 있다고 생각한다.

"점점 더 혼란스러워지는 이야기 속에서...둘은 늘 연락을 하며 지냈지만 자주 싸웠고, 의견일치를 볼 때가 거의 없었다. 그러나 서로 사랑했다. 나는 분노하기도 하지만 강한 사랑으로 묶여있는 가족을 얻었

다“

딸 루이제는 이탈리아출신 구두장인 자코넬리의 상점으로 벨린을 데려가 구두를 맞춰준다.

”노인은 안경을 쓰고 있었고, 목덜미에 몇 올 남은 머리 카락만 빼고는 대머리였다.무척 마른 노인이었다. “ 그 구두는 1년 뒤에 완성된다는 말을 듣는다.

이렇게 가족을 이루고 나자, 비로소 그는 자신의 내면을 정면으로 응시할 수 있게 되고 자학에 이르기도 하는데,

”나는 배신당할까봐 두려워 내가 먼저 배신했다. 얽매이는 관계에 대한 두려움, 통제할 수 없을 만큼 강한 감정에 대한 두려움은 언제나 나를 뒤로 물러나게 만들었다..
갑자기 나 자신이 역겨워졌다. ”

고립을 택했던 자신에 대한 회환이 이어진다.

“...내가 결속 대신 은신처를 찾는 사람이 된 이유는

뭘까? 왜 아이를 원하지 않았을까? 집에 탈출구를 여러개 만들어 두는 여우같은 삶을 살아가는 이유가 뭘까?"

의료 과실은 그가 타인들로부터 숨는데 하나의 변명에 불과했음도 고백한다. 자기에게 잘못된 수술을 받고 불구가 된 앙네스를 다시 보자, 그는 그동안 참아온 성욕이 발동해 그녀를 덮치려 한다. 성적 욕구가 발동했다는 건 그만큼 삶의 에너지를 되찾은 것으로 풀이할 수  있고 그것은 '가족'을 이룸으로써 가능했다.

"앙네스의 방문이 무척 기다려졌다. 놀랍게도 나는 성적인 흥분을 느끼고 있었다...나는 일어나서 그녀를 잡았다. 그러나 키스하려고 하자 저항했다. 앙네스가 그만두라고 말했지만, 멈출수 없었다"

결국 성적 시도는 앙네스의 거절로 실패로 돌아가고 벨린은 계속 그녀에게 사과를 하고 다시 찾아줄 것을 부탁한다. 비로소 타인과의 '관계맺음'을 갈망하게 된 것이다.

그리고는 드디어 1년만에 이탈리아 장인이 만든 딸 루이제가 선물한 구두를 소포로 받게 되는데

“부엌에 앉아 소포를 풀었다. 보라색이 들어간 검은 구두 한 켤레였다. 발에 아주 잘 맞았다...이런 기쁨을 마지막으로 느낀 게 언제였는지 기억도 나지 않았다"

그러면서 얼마 남지 않은 삶이나마 충실하게 살아가고자 다짐하며 작품은 끝이 난다.

”더 가지는 못했다. 그러나 여기까지 왔다“

헤닝 만켈이 스웨덴과 모잠비크를 오가며 활동한 건, 인권 운동에 대한 의지이면서 동시에 일찍 어머니를 잃어버린 (가출) 데서 오는 상실감에 의한 방황은 아니었을까, 하는 생각이 든다. 그런 심리는 이 작품에서도, 어릴적 아버지로부터 버려질 거 같다는 불안에 시달리는 것으로 재현된다.
그러나 물론 그는 탁월한 인권 운동가였으며 이슬람이 유럽에 끼친 영향을 무시하지 않는 지성인이었

다. 역자는 마지막에 이렇게 적고 있다.
'팔레스타인 가자 지구로 가던 국제 구호선의 승선자 중 몇 명이 이스라엘 해병 특공대의 공격으로 사망, 만켈은 이 구호선에 탑승한 682명중 한사람'이었다고.

4. 이미예 장편 <달러구트 꿈 백화점>
-아프다는 말만 하다가 가게 해서 너무 미안해.

절대 깨고싶지 않은 꿈이 있다. 사랑하면서도 헤어져야 했던 옛사랑이 나오는 꿈, 투고한 원고가 채택되었다는 소식을 듣는 꿈, 돌아가신 엄마가 살아 돌아오시는 꿈..

그래선가 깨고 나면 아련하고 조금은 서럽다. 꿈은 우리의 무의식이자 은폐된 욕망을 나타낸다고 한다. 굳이 정신분석이나 심리학을 들먹이지 않아도 우린 우리가 꾼 꿈을 직감적으로 해석할 줄 안다 .

그 꿈을 사고 파는 달러구트라는 꿈 백화점에 관한 이야기가 바로 이 책의 주된 내용이다. 다양한 인간의 욕망과 회한을 꿈이라는 소재로 응축해 제작해 판매하는 곳이고 그곳에 갓 입사한 페니라는 여성의 시점으로 이야기는 전개된다. 다양한 존재들, 심지어 동물까지 찾는 이곳은 그 만큼 현실에서 소외된 삶을 사는 이들이 많음을 보여주는 반증이자 대리 만족의 실례라 할수 있다.

이런 것들을 소프트하고 서정적인 문체로 조근조근 이야기하는 이 책의 장르를 굳이 규정짓는다면, 과연 무의식에만 존재하는 꿈을 만들고 팔고 산다는 게 가능한가라는 조금은 비현실적 이야기를 다룬 판타지 영역에 들 것이다.. 그러나  몽환적인 소재를 다룸에도 삶의 요소들을 차분히 짚어내는 작가의 역량 덕에 이야기는 허황되지 않고, 끝까지 현실과 상상의 절묘한 균형을 유지한다.

이미예 1990-

책에서는 수면 사업이 활발한 달러구트 마을의 모습과 꿈을 만드는 사람들이 소개된다.

"잠들어야만 입장할 수 있는 상점가 마을, 그리고 잠든 이들을 사로잡는 흥미로운 장소들, 잠이 솔솔 오도록 도와주는 주전부리를 파는 푸드 트럭, 옷을 훌렁훌렁 벗고 자는 손님들에게 정신없이 가운을 입혀주는 녹틸가루들, 후미진 골목 끝에서 악몽을 만드는 막심의 제작소, 만년 설산의 오두막에서 일하며 거의 모습을 드러내지 않는 베일에 싸인 꿈 제작자, 태몽을 만드는 아가냅 코코, 하늘을 나는 꿈을 만드는 레프라혼 요정의 작업실까지..”

이곳은  꿈 백화점 신입사원 페니의 도시이기도 하다.

“페니가 사는 이 도시는, 먼 옛날부터 사람들에게 수면에 관련된 상품을 판매하면서 발달해 왔다. 그리고 지금은 수많은 사람들이 몰려드는 대도시로 성장했다. 시민들은 잠옷 차림의 외부 손님들과 섞여 지내는 데 익숙했고, 이 곳에서 태어나고 자란 페니도 마찬가지였다.”

꿈을 사고 파는 백화점인 만큼 "눈꺼풀저울"은 필수다. “각 칸에는 번호가 적혀있는 조그마한 저울들이 들어있었는데, 꼭 사람의 눈꺼풀처럼 생긴 추가 오르락 내리락 하면서 상태를 가리키는 눈금을 가리키고 있었다.페니의 눈 높이에 있는 ‘902번’ 저울의 눈금은 ‘맨정신’과 ‘졸림’사이에서 빠르게 왔다갔다 하고 있었다.”

이곳은 안타까운 현실에 대한 보상을 원하는 많은 이들로 늘 붐비는데, "저는 연인과 얼마 전에 헤어졌어요. 그동안 괜찮았고 잘 참아왔는데, 오늘은 갑자기 머리도 지끈거리고 마음이 펄펄 끓어요. 외롭지는 않은데 서러워요. 저는 그와 헤어진 후 한 발짝도 나아가지 못하고 있어요. 원망하는 건지 후회하는 건지 제 마음을 알고 싶어요. 꿈에서라도 그를 다시 본다면 알 수 있을까요?"

그러면서도 손님들은 꿈의 실체를 알고 있다. 그것은 <이달의 논문:꿈값과 그들의 감정에 대한 고찰> 에서 여실히 드러나는데,

"핵심은 손님들이 스스로를 '망각의 동물'이라고 인지하고 있다는 점입니다. 그들은 객관적으로 자신들을 파악하고 있어요. 심지어 자신들이 기억하고 있는 모든 정보가, 있는 그대로의 실제 사실이 아니라 머릿속에서 재입력된 정보라는 것까지 알고 있습니다. 결국은 모든 경험이 잊힐 거라는 것을 알고 있다는 건, 지금 이순간이 한번 뿐이라는 것을 더 절절하게 느끼게 하죠. 그 점이 바로 손님들이 느끼는 감정과 그들이 지불하는 꿈값에 특별한 힘을 부여하

는 것입니다.”

꿈이 상품화되면서 자연히 꿈 도둑도 등장한다.

"아뿔싸, 그는 사라지고 없었다. 더불어 그가 대신 들어주고 있던 ‘설렘’ 한 병도...큰일났다. 페니는 등줄기가 서늘해지는 것을 느꼈다..
이거 큰일인 걸. 요즘 ‘설렘’이 워낙 귀해서 말이야..”
이렇게 짝사랑하는 여자와 옛 애인을 못 잊어하는 남자에게 그에 적절한 꿈을 판매해 서로를 맺어주는가 하면 시나리오 작가 지망생인 나림에겐 '예지몽'으로 인한 '데자뷔'현상을 겪게 해 글을 쓸 수 있게 해주기도 한다.

“그리고 그때, 갑자기 재빠르게 상황에 대한 스토리가 머릿속을 가득 메우더니, 그녀는 놀랍도록 또렷한 기시감에 휩싸였다. 흐물흐물한 당근 조각, 아영이 만지작거리고 있는 테이블 매트의 접힌 모양, 그리고 때마침 울린 핸드폰과 화면 속 팬드폰에 뜬 아영의 남자친구 이름까지, 심지어 나림은 아영에게 그 남자의 이름을 들은 적이 없음에도 ‘종석’이라는 사람이 아영의 남자 친구라는 걸 이미 알고 있었던 것 같다는 이상한 기분이 들었다.”

그런가 하면 트라우마 극복에 관한 꿈도 팔고 있다.

“손님, 죄송하지만 그냥 악몽과는 다르답니다...정식 명칭은 ‘트라우마 극복을 위한 꿈’입니다."

이것은 이 꿈에 대한 <구매확정서약서>에 잘 요약돼있다.

‘이꿈은 정신 수련과 반 영구적인 자존감 상승을 원하는 손님들을 위해 만들어졌습니다...구매자가 꿈을 꾸고 잠에서 깼을 때, 긍정적인 감정을 느껴야만 판매자에게 꿈값이 지불되고, 비로소 계약이 정상적으로 종료됩니다...트라우마를 극복할 때까지 판매자가 권장하는 일정 간격으로 동일한 꿈을 정기적으로 꾸는 것에 동의합니다.

그러면서 트라우마가 어쩌면 우리 삶의 긍정적 기제로 작용할 수도 있다고 한다.

“ 가장 힘들었던 시절은, 거꾸로 생각하면 온 힘을 다해 어려움을 헤쳐나가던 때일지도 모르죠. 이미 지나온 이상, 어떻게 생각하느냐에 따라 달라지는 법이랍니다. 그런 시간을 지나 이렇게 건재하게 살고 있다는 것이야말로 손님들께서 강하다는 증거 아니겠습니까?”

그러나 우리가 꿈에 가장 기대하는 것은 족쇄와 억압으로 가득한 현실에서 벗어나 해방감과 자유를 맛보는 것은 아닐까?

“‘하늘을 나는 꿈'을 100명의 손님에게 팔면, 그중에 60명 정도로부터 꿈값을 회수할 수 있어요. 보통 그때 받을 수 있는 꿈 값은 '해방감‘이나 '신기함‘이죠. 하지만 '아쉬움‘이나 '상실감‘도 적지 않아요. 꿈에서는 하늘을 날 수 있었는데  꿈에서 깨고 나면 날 수가 없으니까 그런 감정들을 느끼게 되는 거죠. 다들 아시겠지만 그런 감정들은  별로 돈이 되지 않아요. 그래서 우리가 생각해낸 방법이 있죠.

'하늘을 나는꿈'보다 '꼼짝하지 못하는 꿈'을 꾸게 하는 것이 더 이익이 된다는 결과가 나왔어요. 옴짝달싹 못하는 꿈, 그러니까 달리려고 하는데 발이 납덩이처럼 무겁거나, 괴롭히는 녀석에게 주먹을 날리고 싶은데 몸이 너무 느리거나 하는 꿈 말이죠. 이런 꿈을 꾸게 했을 때, 꿈 값으로 '해방감'이 훨씬 더 많이 들어왔어요.. 자면서 답답했는데 깨자마자 몸이 가뿐하니까요!"

이것은 화려해 보이는 삶의 외피 안에 감춰진 소외되고 쓸쓸한 개체의 고독과 무기력을 말해준다고 할 수 있다.

"크리스마스와 연말 시즌은 겉보기에는 마냥 행복하고 화려해 보이지만, 그 이면에는 씁쓸함과 허무함이 공존한단다. 필사적으로 약속을 잡거나 늦게 잠드는 손님들만 봐도 그건 알겠지?"

심지어는 미물인 동물 (개)마저 꿈을 꾸는데,

"다행히 나이가 들수록 졸음은 잘도 쏟아졌다. 레오는 세상 모르게 잠 들어 있었고, 마침 애니모라 반쵸의 꿈을 꾸는 참이었다. 반쵸가 '산책하는 꿈'을 준 덕분에 레오는 꿈속에서 신나게 뛰어놀고 있었다."

그런가하면 이승을 떠난 그리운 이들을 꿈속에서 만나기를 갈구하는 이들도 많다.

"남자는 그날 밤 꿈속에서 할머니를 만났다...할머니는 자신만만하게 캐러켈 마키야토 2잔을 주문하고 점원과 농담까지 하는 여유를 보였다...
젊은 부부 손님도 한창 꿈을 꾸고 있었다. 그들은 꿈 속에서 먼저 떠나보낸 딸을 만났다. 꿈속의 아이는 말이 유창했다...부부는 딸을 꼭 끌어안았다.
'아프다는 말만 하다가 가게 해서 너무 미안해'
'아닌데? 나는 100개만큼 행복하고 1개만큼만 아팠는데, 지금은 1개도 안 아파'

'아무 것도 못하고 너무 짧게 살다 가서 어떡해'"

책 말미에 다시 이어지는 '눈꺼풀 저울'의 묘사는 미시적, 서정적 묘사에 탁월한 작가의 역량을 잘 드러낸다.

"퇴근 무렵, 페니는 새로 제작되어온 눈꺼풀 저울을 진열장에 넣기 위해 빈 곳을 찾고 있었다. 거래처에 맞춤제작을 맡긴 지 꼬박 2달만에 받은 물건이었다...
페니는 조심스럽게 저울을 놓고, 눈꺼풀 모양의 추를 손가락으로 살짝 쓸었다. 저울의 눈금이 파르르 떨리다가, 이내 '맨정신'과 '졸림'사이에 멈췄다. 그리고 잠시뒤, '졸림'은 '잠드는 중'으로 바뀌었다"

손님에게 반해 진짜 꿈속의 상대가 되려다 실패하는 많은 꿈 제작자의 사례도 언급된다. 꿈이라는 몽환적 소재와 그것을 만들어내는 냉철한 머리가 균형을 잃을때 벌어지는 현상일 것이다.

"손님한테 그런 마음을 가지면 곤란해. '꿈속의 남자'나 '꿈속의 여자'가 되어 손님들과 절절한 사랑놀음을 하다 신세를 망친 젊은 제작자들이 너무나 많았어. 그들은 결국 상대에게 절대로 현실이 될 수 없다는 사실을 깨닫고  괴로워하다가 깊은 우울함에 빠져버렸지. .그리고 그 끝은 항상..."

작가 이미예 (1990_)는 부산 태생으로 재료공학을 공부하고 반도체 엔지니어로 일했다.

5.마르셀 프루스트 단편선 <질투의 끝>
-우리가 사랑하는 상대의 내면에 단 한치도 침투해 들어갈 수 없기 때문이리라

마르셀 프루스트(1871-1922) 의 <잃어버린 시간을 찾아서>는 몇 번이나 도전을 하다 몇 장을 넘기지 못하고 포기하곤 했다. 비단 나만의 이야기는 아닐 것이다. 단편선 <질투의 끝> 역시, 한번에 읽히진 않았다. 프루스트에 친숙해진다는 게 쉽지 않음을 증명한 셈이다.

20세기 세계 문학사의 최대의 사건으로 일컬어지는 <잃어버린 시간을 찾아서 >의 단초가 되었다는 이 작품집은 그런 의미에서 프랑스 문학에 관심이 있거나 문전반 애호가라면 필독서라 할 수 있다.

프루스트는 의사인 부친과 유대계 명문가인 모친 사이에서 병약하게 태어났지만 평생을 글 쓰는일에 매

진할수 있는 부유한 환경 속에 살았다. 9살 때 처음 시작된 천식의 공포는 아마도 그를 죽음에의 불안과 환영에 평생을 시달리게 했을 것이다. 그것은 역으로 삶에의 집착을 병적으로 끌고 갔다는 이야기도 된다.

이 <질투의 끝>에 실린 네편의 단편은 그가 1896년 발간한 <쾌락과 나날들>이라는 첫 작품집에 수록되었다고 한다. 그 책은 헤시오도스의 <노동과 나날들>에 빗대어, 노동 외에 감각과 정신의 쾌락도 중요함을 설파한 것인데 그당시 노동계급의 부상과 리얼리즘 소설이 대세를 이루는 시대정신에 그다닥 어필하지 못해 프루스트는 소설이 아닌 영국 예술철학자 러스킨을 번역하고 비평하면서 문단에 들어선다..

마르셀 프루스트 1871-1922

<비올랑트 혹은 사교계의 삶> 과 <어느 아가씨의 고백>은 사교계 안에서 벌어지는 여 주인공의 타락을 그린 것이고 다른 두 작품 <실바니아 자작 발다사르 실방드의 죽픔>과 <질투의 끝>은 삶의 쾌락을 즐기면서도 영혼만큼은 포기하지 않은 감수성 예민한 남자의 사랑과 질투 ,죽음을 그리고 있다.

고통과 쾌락, 환희와 환멸, 삶과 죽음 등의 소재들은 프루스트의 문학 속에 무한 반복, 자기복제를 해나간다는 인상을 받게 되는데, 고통, 환멸, 죽음 같은 인간사의 부정적 측면은 어쩌면 인간이 진정 희구하고 갈구하는 절대자의 가까운 '이상적 존재의 부재'에 기인하는건 아닐까?

"어머니의 부재는 나에게 더 많은 쓰라린 가르침을 주었다. 그것은 바로, 우리는 결국 부재에 익숙해진다는 사실, 또한 그렇게 부재로 인한 고통이 사라지는 순간이야말로 스스로 가장 쪼그라드는 , 가장 모멸스럽게 고통스러운 순간이라는 가르침이었다."<어느 아가씨의 고백>

그런가하면  혹자는 , 이 책의 또다른 주된 주제인 '질투'에 대해 이렇게 언급하고 있다.

"근본적인 물음이 남는다. 프루스트의 소설에서 주인공들은 왜 사랑하는 존재에게 극복할 수 없는 (강박적)질투심을 품는 걸까?...보다 근원적으로는 우리가 사랑하는 상대의 내면에 단 한치도 침투해 들어 갈 수 없기 때문이리라...제 아무리 빼어난 관찰자이더라도 스스로의 테두리를 넘어서서 사랑하는 상대편의 내면을 송두리째 파악할 수는 없다. ”

이렇듯 '프랑스 문학의 강점이라 할 수 있는 인간 탐구 정신‘은 프루스트에게 있어 ’질투의 현상학‘으로까지 발전한 셈이다.

그리고 프루스트는 사교계나 드나드는 한량 (딜레땅뜨)로 곧잘 폄하되었지만, 사교계야말로 피상적이고 인간의 허위 의식이 그대로 드나드는 인간성 고찰의 공간은아닐까?

이 작품은 분명 '병든 자의 고백이며 갈구'다. '지나치게 건강한 우리로선 가 닿을 수 없는 예리한 삶과 죽음이 오버랩되는 그 지점까지' 자신을  밀어부친 '갇힌자가 문을 열고자 하는 시도'였던 것으로 보인다.

비록 몇 번 시도 끝에 포기했지만 언젠가는 프루스

트의 <잃어버린 시간을 찾아서 À la recherche du temps perdu >를 다시 붙잡고 완독할 날이 오리라 생각한다. 그 대작에 가려져, 이런 초기작들이 평가절하 되는 감이 없지 않고 사실 조악한 면이 없지 않지만 , <잃어버린...>의 맹아가 되었음은 분명하다. 해서 <질투의 끝> 단편선을 읽는다는 건 '의식의 흐름 소설' 읽기에 주요한 방향을 제시하리라 생각한다.

6. 에쿠니 가오리 장편 <혼자서 종이 우산을 쓰고 가다>

-갖고 싶은 것도, 가고 싶은 곳도, 보고 싶은 사람도, 이곳엔 이제 하나도 없어

사회학자인 에밀 뒤르켐은, 그의 저서 "자살론"에서 자살을 크게 세가지로 구분하고 있다. 이기적 자살과 이타적 자살, 그리고 아노미적 자살이라 분류하고 있는데, 이기적 자살은 '사회집단에 강력하게 융화되지 않는 사람들이 행하는 자살로, 사회적 유대가 끊어져 사회적으로 격리되고 지지기반을 잃게됨으로서, 고립감과 소외감에 빠진 상태에서의 자살을 말한다. 이타적 자살은, 사회집단과 지나치게 융화돼서 사회를 위해 자살하는 경우를 말하고, 아노미적 자살은 사회에 적응, 융화되는 것이 차단되거나 와해됨으로써 행동의 일상적 기준을 상실했을 때, 또는 개인적 요구와 사회 집단적 양심이 일치되지 않는 경우의 자살을 말한다. 예를 들어, 갑자기 벼락부자가 된 사람이 자살하는게 그 예라 할수 있다.

이책이 이야기하는 것이 바로 자살이다. 그러나 이야기는 그들의 자살에 초점을 맞춘다기 보다는 그들의 죽음으로 그들과 연관된 생자生者들의 삶에 불어오는 변화의 바람이다.

섣달 그믐날 밤, 세 노인은 호텔방에서 엽총으로 자살을 한다. 하지만 그 이유는 그 누구도 정확히 알지 못한다. 다만 남겨진 자들의 생활에 변화가 오는데 끊겼던가족들이 다시 이어지고 낯선 사람끼리 메일을 주고받고 , 새로운 인연이 생기기도 한다.

'자살한 세명의 노인들은 생자들의 기억방식에 따라 소환되기도 한다. 우선 세 노인이 과거를 추억하며 보내는 마지막 시간, 그리고 남은 유족 및 다양한 경로로 고인들과 인연을 맺었던 관련자들의 일상이 번갈아 등장한다.
아들, 딸, 손자, 옛동료, 부하직원, 제자 등 개개인의 기억하는 방식에 따라 고인들의 인생도 다 각도로 떠오르고, 남은 이들은 가눌 수 없는 슬픔과 원망, 자책 ,감사, 그 외 온갖 감정들이 휘몰아치는 가운데 역시 저마다의 방식대로 현실을 마주하고 자신의 삶을 돌아본다. 그러면서 조금씩 원래의 일상을 되찾아 가는데, 이것은 마치 체념과도 같은 먹먹함과 그리움을 간직한 채'이다.

그 과정 중에 새로운 만남도 생겨나고 소원했던 관계도 회복되고, 치유와 납득의 과정을 거쳐 안정을 찾아가는 이들의 모습에서 낯설지 않은 우리들의 모습을 만나게 된다.

결국 죽음은 어디까지나 개인적인 것이며 아무리 가까운 사이라도 모든 것을 알 수는 없다는 것, 그만큼 고독하고 비밀스러운 것이며, 따라서 하나의 죽음을 받아 들이는 방식도 저마다 다를 수밖에 없음을 일깨운다.

에쿠니 가오리 1964-

'갖고 싶은 것도, 가고 싶은 곳도, 보고 싶은 사람도, 이곳엔 이제 하나도 없어'
이 처연한 외로움 속엔 일종의 해방감마저 엿보인다. 그들은 더 이상 외로움도 안타까운 관계의 모순도 없는 '그 세상'을 향해 죽음을 앞당긴 것이다. 그렇다면 이런 그들의 죽음은 뒤르켐의 세 가지 자살 중 어느 것에 속할까?

그러나 줄거리를 요약하기가 어려울 만큼 이야기는 의식의 흐름을 타는 것처럼 마구잡이식으로 전개된다.그것은 산만하고 무질서하게까지 여겨진다. 독자는 어느새 지치고 피로해져 완독을 포기할 수도 있다.
하지만 그 어떤 사건이나 상황도 작가 스스로 흥분한다거나 애써 임팩트를 주지 않음으로서 오히려 사건과 상황 자체가 '스스로를 말하는' 효과를 낳기도 한다.

그러나 예외적으로 '심리적 테러리스트'로서의 안데르센을 언급함으로서 죽음이 생자들에게 주는 테러적 측면만은 간과하지 않는다. 더군다나 그 죽음이 선택에 의한 자살일 경우.

"이미 충분히 살았습니다"라는 유서가 말하듯, 세 노인의 자살의 선택은 크나큰 삶의 파고 끝의 결론이라기 보다는 삶의 연장이라는 지극히 평범한 맥락을 따라 더 더욱 충격적이다.
애써 담담하게 세 노인의 자살을 받아들이려 하고 생전 그들의 삶을 반추하려는 자체가 이미 심리적 충격과 고통을 받은 생자들의 마음을 역설적으로 보여준다 할 수 있다.

가오리는 이 작품의 배경을 펜데믹 시대로 잡았고 그것은 죽음이 결코 멀거나 추상적이지 않다는 것, 개개인의 고립은 더욱더 심화될 거라는 경고로도 읽힌다.

저자  에쿠니 가오리는 '여자 하루키'로 불릴 정도로 일본에선 세련되고 감성적 화법의 작가로 유명하다.

### 7. 알베르토 모라비아 장편 <순응주의자>

–'정상성'에 대한 강박 때문에 비정상적 세계로 빠지게 되는 속성.

이탈리아 참여문학의 시작점으로 알려지는 알베르토 모라비아 (1907-1990)의 작품은 실존주의에 바탕을 두고  인간의 이중의식을 그려낸다. 반파시스트 문학을 지향해 탄압받은 작가의 문학관과 그 세계를 극명하게 드러낸 작품으로 <순응주의자>를 꼽을 수 있다

현대 이탈리아 소설에는 산업화와 전쟁이 끼친 영향이 잘 드러난다. 즉,  자연주의와 실존주의라는 두가지 흐름이 탄생하고 여기서 바로 네오리얼리즘 문학이 나온다. 그것은 전쟁후 가치관의 변화를 겪은 현대인들의  소외감과 자아상실 ,그로 인한 관계의 결여와 뒤틀림을 그려내고, 그 주역들은 인간성의 회복과 영혼의 구원, 역사에 대한 질문을 끝없이 던진다.

모라비아 작품 속 주요 인물은 영리하지만 실존적

불안을 나타내는 무능한 부르주아 지식인이 대부분이다. 그들은 기존 체제에 적응하기 위한 헛된 노력을 계속하면서도 '권태와 무관심'을 드러낸다.

모라비아는 발자크, 도스토옙스키 등 19세기 작가들에서 영향받았고 그의 작품은 인물의 심리적 상태를 극도의 긴장 상태로 몰아가고 그 인물에게 명확한 선택보다는 내적 동요와 갈등을 유지하는 애매함을 부여함으로서 거기서 기인하는 관계의 모호함을 드러낸다. 즉, 인물의 무관심, 권태 ,고독 등은 숙명적으로 개인의 불행을 낳고 도덕적 체계의 붕괴로 이어진다.
이것은 성과 재물로 요약된다. 이 두 가지는 모라비아에게 있어 인간을 해부하는 매스 역할을 한다. 모라비아는 성적 행위를 통해 다른 삶(인간)에 몰입하며 그로서 인간은 단절감과 고독에서 벗어난다. 이러한 성은 도덕성과 금기사항, 위선과 보수주의로부터의 자유를 상징한다.
모라비아 작품에 많이 등장하는 매춘부들은 추상적이거나 감상적이지 않고 평화롭고 달콤하며 냉정하고 상냥하며 이것은 <순응주의자>에서도 마찬가지다.

그의 작품들에 나타나는 도덕적인 카테고리와 등장 인물과 상황은 윤리적 도식에 따른 서술 구조라 할 수 있다. 이는 '복종, 경멸, 권태, 주의'등의 추상명사를 나열한 그의 작품 제목들에서도 나타난다. 한편 그는 사회적 윤리주의자로서 그 당시 마르크시즘과 프로이트의 정신분석을 비판했고 정치적 독립성을 유지하며 당대의 현실을 그려냈다.

<순응주의자>는 1951년 출간된 파시즘에 관한 작품이다. 생존을 위해 무조건 체제에 순응하는 것이 옳은가에 대한 윤리적 질문이라 할수 있다. 정상궤도를 벗어난 순응은 비정상적 결과만을  낳는다는 것을 보여준다. 모라비아는 주인공 마르첼로를 통해 '정상성'에 대한 강박 때문에 비정상적 세계로 빠지게 되는 속성을 그려냈다. 비정상적 상황에서 정상을 찾기 위해 오히려 비정상적인 수단과 방법을 추구하다 보면 정상은 언제나 비정상에 의해 구축된다는 복잡하면서도 이해 가능한 개인의 선택을 보여주고 있다.

'순응주의자'의 사전적 의미는, 자기가 놓인 처지에

아무 의심도 품지 않고 틀에 박힌 사고와 태도로 일관하는 태도를 말하고 이것은 관습이 규정한 '정상적인 것'을 추구하고 그 안에 스며들려고 하는 태도를 뜻한다.
<순응주의자>에서 모라비아가 말하고자 하는 바는 ,파시즘이 지적이고 영적인 생각의 자유를 박탈하고 시민들로 하여금 하나의 진실만 추구하도록 억압하고 그것을 선포한 무솔리니는 비정상이라는 것이다. 즉 작가가 체험한 파시즘 특유의 정치적, 윤리적 타락을 그려냈다 할 수 있다.

비록 모라비아는 프로이트를 외면했지만 우리는 프로이트의 예술관을 경시할 수는 없다.
프로이트에 있어서 예술작품은 인간의 무의식 속에 어떤 금기나 체제로도 억압되지 않은 리비도가 의식의 검열행위로 말미암아 직접적으로 표출되지 못하기 때문에 대리만족 혹은 우회 과정을 거친 끝에 나오는 결과물이다. .이것은 모라비아가 다루는 주요 테마인 현대인의 성관념, 사회적 소외, 실존주의적 고뇌와 아이러니하게 닮아있다.

주인공 마르첼로의 삶은 자아 정체성이 확립되지 않

은 사춘기, 정상임을 증명하려는 청년기, 평범해 보이는 중년기로 나뉜다.

아무리 어려도 인간 속엔 폭력성이 존재한다.

"그의 폭력은 꽃과 초목에서 동물로 넘어갔다. 그 과정이 너무 자연스럽게 이루어져 특별히 감지하지는 못했다.'

그리고 어린 마르첼로는 아직 자기를 둘러싼 세계를 파악하기도 전에 체제가 가르치는 정상과 비정상의 기준을 따르는데,

"그는 본의 아니게 자신의 흠을 들춰내고 자신의 비정상성을 확인시키는 친구에게 충동적으로 분노를 느꼈다"

그렇게 자신을 공허한 잣대로 가늠하며 어린 나이에 이미 권태에 빠진다.

"그는 놀랍게도 자신에게 이런 처벌이 내려지기를

바랐다. 이러한 갈망에서 드러나는 것은 사랑이 부족하고 무질서한 가정에서 무의식적으로 느끼게 되는 권태였다. 권태는 부모의 응징을 더욱 바라게 했다“

그런 마르첼로에게 짜릿한 유혹이 바로 권총을 주겠다는 성인 리노였다.
”이번에는 리노가 마르첼로를 앞서 가지 않고 그 옆으로 와 허리에 가볍게 팔을 두르며 물었다.
권총이 그토록 갖고 싶니?
네 "

하지만 마르첼로는 비정상에 속한다고 생각하는 사기성을 혐오한다.

“그는 거의 금욕적으로 보이는 남자의 얼굴을 바라보고는 리노를 왜 싫어하는지 깨달을 수 있었다. 그것은 위선이기 때문이었다. 남자의 표정에는 사기성이 도사리고 있었다. 그의 얼굴 중에서도 무엇보다 입에서 이러한 기만이 감지되는 것 같았다. 첫눈에는 얇고 메마른 입술이 냉소적이고 정숙해 보이지만, 미소를 지으며 입을 벌리면 입속 점막에서 불가사의한 욕망의 침이 반짝이는 게 보였다.”

그런 어린 마르첼로를 리노는 성추행하려 한다.
"바로 그때 리노는 그를 거칠게 뒤로 밀쳤다. 그리고 고양이나 개의 목덜미를 잡고 들어 올려 던져버리는 듯 침실로 던져넣었다...
이제 됐어! 넌 내가 원하는걸 하게 될거야! 마르첼로, 폭군 애새끼, 이젠 됐다고”

그러다 권총을 마르첼로에게 빼앗기자 리노는 죽여달라며 애원하는데 이런 비정상성을 싫어하는 마르첼로는 방아쇠를 당긴다.

“쏴 마르첼로...날죽여 ...그래, 개처럼 날죽여!

남자에게는 관용과 엄격함, 회개와 정욕이 혐오스럽게 뒤섞여 있었다. 그 순간 만큼 그를 증오한 적이 없는 것 같았다. 두렵지만, 남자의 요구를 받아들여야 한다고 자각한 마르첼로는 결국 방아쇠를 당겼다.”

이런 마르첼로는 이제 30살 청년이 돼있다. 그는 아

직도 군중의 행동을 모방하는 삶을 추구하고 있다.

"하지만 그의 마지막 동작은 개인적 성향이 아니라 의도된 모방에서 비롯된 행동이었다"

알베르토 모라비아 1907-1990

그러면서 제멋대로 역사를 재단하는데,

“그는 지난 몇 년간 더욱 분명해지고 영향력을 발휘한 사건들 가운데 이러한 대칭을 읽은 듯했다. 먼저 이탈리아에서 파시즘이 출현한 다음 독일로 이어졌고, 그 다음에는 에티오피아 내전, 그리고 또 그 다음에는 스페인 내전이 벌어졌다...그는 다른 많은 사람처럼 프랑코 편이었다...단지 본능적이고 거의 생리학적인 상태, 즉 다른 수백만 명의 사람들이 공유하는 신념과 연결돼있다는 점을...”

그는 세계가 '규범'이라 정해놓은 것들을 절대적으로 신뢰한다.

“그는 급하다거나 초조하다거나 관공서의 질서와 규정을 참을 수 없다는 느낌은 들지 않았다. 오히려 그 질서와 규정이 마음에 들었다. 더 큰 범주에서 일반화된 질서와 규정까지도 기꺼이 따를 수 있을 것 같은 징후처럼 생각했다. 그는 매우 차분하고 냉정했다.”

그러기에 늘 타인의 눈치를 보는 삶을 살아갈 수밖에 없다.

“그는 반감을 갖고 모든 사람을 몰래 관찰했다..그는 같은 감정, 같은 생각, 같은 목적으로 모여있는 대규모의 군대같은 군중을 상상할 때면 다른 모든 이처럼 자신이 정상이라고 생각했다. 그 일부가 되는 것은 위안이 되었다”

그러나 군중이 개개인으로 분리되는 순간 그의 다수와 군중, 체제에 대한 신념은 여지없이 깨져 버린다.

“그러나 사람들이 군중 밖으로 나오자마자 정상성에 대한 환상은 다양성이라는 현실에 부딪혀 산산조각났다. 그는 그들 사이에 있는 자신이 모습을 전혀 인정할수 없었고 혐오와 거리감을 느꼈다...혐오와 연민을 제외하면 아무 것도 없다.”

그러면서 작은 국가라 할수 있는 공직자의 타락한 실체를 엿보게 된다.

“그가 방금 목격한 것은 난봉꾼으로서의 장관의 명성을 확인시켜 주었다...마르첼로는 세속적이고 여자를 밝히는 장관에게 ‘공감’을 느끼지 않았다. 그러기는커녕 그가 싫었다. "

그럼에도 그는 체제에 순응하는 삶을 포기하지 못하는데,

"그는 실제로 체제에 관해 특별히 싫어하는 점이 거의 없다고 생각했다. 이것이 본래부터 그가 지향하는 방향이었고 그는 계속해서 체제에 충성해야만 했다"

그러면서 회의주의자로 보이는 노인에 대한 혐오감을 드러낸다.

"이를테면 그 노인이 그랬다. 그는 노인을 아무렇지 않게 죽일 수 있으며, 실제로 죽이고 싶다고까지 생각했다. 이유가 뭘까? 그는 아마도 자신이 가장 싫어하는 회의주의자의 표정이 그 불그스레한 얼굴에 분명하게 나타나 있기 때문이라고 생각했다"

그리고는 순응주의자인 자신의 외피를 더더욱 두텁게 만들어간다.

“그는 불쾌하고 불편했지만 사람과의 접촉을 좋아했다. 개인과의 접촉보다 군중과의 접촉을 더 좋아했다.

그것은 바로 정상에서 이탈했을 때의 불안감에 기인한다.

”마르첼로는 약혼녀 줄리아를 좋아하기는 하지만 사랑하지는 않았다...친밀함이 깊어질수록 자신이 그렇게 애써 떨쳐 버리고자 했던 무질서와 비정상성이 다시 자신의 삶에 들어올 것만 같았다“

그러면서 당시 파시스트 체제가 보여주는 대중 통제 방식이 그려진다.

"사제가 고위층의 명령으로 신도의 정치적 성향을 확인한다는 건 공공연한 사실처럼 여겨졌다"

'정상'만을 인정하는 마르첼로에게 반파시스트는 혐오의 대상이 될 수밖에 없다.

“마르첼로는 콰드리를 특별히 좋아하지 않았다. 그

는 콰드리가 반파시스트임을 알고 있었다. 그의 정치적 입장, 소심하고 호전적이지 않은 성격, 병약함과 추한 외모, 학식과 책들, 즉 사실 그의 모든 것이 부정적이고 무능한 지식인의 전형적인 이미지를 완벽하게 재현하는 것 같다는 생각이 들었다. 그것은 당이 계속해서 경멸하는 사안이었다”

그런데 마르첼로의 신념을 뒤집는 일이 벌어진다. 약혼녀 줄리아와 콰드리의 아내 리나의 동성애 장면이 눈앞에 펼쳐진 것이다.

“넓은 흰색 치마가 원형으로 펼쳐진 채 줄리아의 발치에 웅크리고 앉아있는 사람은 리나였다. 줄리아의 무릎에 이마를 대고 가슴을 줄리아의 정강이에 댄 채 두 팔로 다리를 감싸 안은 모습이었다”

이어서 자기가 그토록 신뢰하는 '정상으로 가득 찬 삶'의 무의미성, 공허함이 그려진다.

“무슨 반대 명령 말입니까? 작전을 보류하라는 반대 명령도 못 받았습니다. 분명 너무 늦게 보낸 것 같습니다...그 모든 수고, 두 사람의 죽음, 그게 필요가 없었습니다. 사실 역 효과를 낳았죠"

즉, 죽일 필요가 없는 콰드리를 죽이고 만 것이다.

이제 마르첼로는 중년이 되었고 파시스트의 몰락을 경험한다.

"마당들과 창들을 바라보면 누구도 전쟁이 4년 동안 계속되었고, 20년 동안 지속된 정부가 오늘 쓰러졌다고는 짐작도 못할 것이다...열어 놓은 창문에서는 보통 축구 경기를 중계할 때의 숨 가쁘고 승리에 도취한 말투로 파시스트 정부의 몰락을 설명하는 라디오 소리가 들려 왔다...갑자기 라디오에서 열광하는 소리가 들렸다. 아나운서는 이제 의기양양한 말과 들뜬 목소리로 국왕에게 박수를 보내기 위해 엄청난 군중이 도시 거리에 모여들고 있다고 말했다..."

얼마 전까지 파시스트에 열광하던 군중이 이젠 파시스트를 몰아낸 국왕에게로 돌아선 모습이다.

"어제까진 무솔리니를 향해 손뼉을 쳤죠. 며칠 전에는 폭격으로부터 구해주길 바라면서 교황에게 박수를 보냈고요. 오늘은 무솔리니를 쫓아 낸 국왕에게 환호를 보내고 있군요"

그리고는 어릴 적 자기가 죽인 줄 알고 있던 리노가 실은 살아있음을 알게 된다.

"하지만 난, 내가 당신을 죽인줄 알았는데
그들이 날 살렸다는 걸 자네가 알아내길 바랐네 ,
마르첼로.
리노가 조용히 말했다"

그러면서 리노는 정상이란 순수성의 상실이란 묘한 말을 내뱉는다.

"하지만 마르첼로, 우린 모두 순수했어. 나도 순수했다고 생각하지 않나? 그리고 우리는 모두 어떤 식으로든 순수성을 잃지 . 그게 정상이야...
그 말 속에는 자신의 삶 전체에 대한 심판이 응축되어 있다고 마르첼로는 생각했다. 그가 그때까지 한 일은 가상의 죄로부터 스스로를 구원하기 위한 것이었다. 즉 리노를 만난 날 이후 추구해 온 기만적인 신기루가 아니라 이미 원죄로 얼룩진 자신의 삶을 정당화하려 하는 숨 가쁘고 헛된 열망이 정상이었다.”

이쯤 되면 애써 부인해 온 마르첼로의 '정상성'은 광기에 가까운 것이었다 할 수 있다.

그만큼, 리노를 죽였다는 어린 시절의 기억은 중년에 이르기까지 그를 끈질기게 괴롭혔고 강박적 정상성을 요구하는 기제로 작용한 것이다.

”리노와의 만남은 매우 유용했다. 자신이 저지르지 않은 죄에 대해 되는대로 내뱉은 몇 마디 말 때문에 20년 동안 잘못된 길을 고집해 왔지만, 이제는 그 길을 버리고 돌아보지 말아야 한다는 걸 알게 됐기 때문이다. 이번에는 정당화하고 소통할 필요가 없을 거라고 그는 생각했고, 자신이 실제로 저지른 범죄, 즉 콰드리에 대한 범죄로 인해 정화와 정상성을 추구하느라 고통받으면서 자신을 망치지 않겠다고 결심했다“

이렇게 리노에 대한 자책에서 벗어나지만 평생을 파시스트로 살아온 마르첼로는 결국 아내와 딸을 폭격으로 잃고 자신도 죽어가는 것으로 작품은 끝난다.

작가 모라비아는 로마에서 태어났으며, 아버지는 베니스 출신의 유대인이었다. 1929년 첫 소설 『무관심한 사람들』에서 부르주아 여인을 신랄하게 비판해 물의를 일으키면서, 동시에 평단의 주목을 받게 된다. 1930년대에는 기자로 수많은 탐방 기사를 쓰다가 1939년 파시스트 정부의 유대인을 배척하는 급진 사회주의법이 제정되면서 기자활동을 접는다. 1947년부터 다시 기자로 활동을 시작하고 수많은 이탈리아 영화의 시나리오를 쓰게 된다. 같은 해 『로마의 여인』을 발표하여 상업적으로 첫 성공을 거둔다. 1953년 문학 잡지 《누오보 아르고만티》를 창간하고 영화 감독 피에르 파올로 파졸리니도 참여해서 서로 절친이 된다. 이듬해엔 『경멸』 집필, 1955년에는 《에스프레소지誌》의 영화란을 담당한다. 많은 그의 소설들이 영화로 각색되었는데 그래설까, <순응주의자>에도 그의 영화적 문장이 빈번히 드러난다.

“여자들의 대화에서 배제된다고 생각한 마르첼로는

거의 기계적으로 눈을 들어 콰드리의 등 뒤에 걸려 있는 거울을 보았다. 오를란드의 정직하고 성격 좋아 보이는 얼굴이 아직 거기에 있었는데, 머리가 잘렸지만 살아있는 모습으로 허공에 매달려 있었다”

## 8. 파트릭 모디아노 장편 <메모리 레인>

### -기억과 그리움의 충돌

모디아노는 흔히 기억의 작가로 불린다. 그는 글쓰기를 통해 사라져가는 것들을 아련하게 복원해 낸다. 그의 작품세계는 우수와 서정으로 가득 차 있다. 기억은 주인공의 정체성 찾기와 관계있다.

그는 1945년 2차 대전 당시 독일의 프랑스 점령이 끝난 뒤에 태어났다. 독일 점령기를 겪지는 않았지만 그의 글은 그 시대와 독특하게 연결돼 있다.그리고 유대인이었던 아버지와 ,그의 미덥지 못하고 수상했던 신분과 여러 행적은 그의 글쓰기를 유발시켰고 아버지의 부재와 어머니의 방치 상태에서 보낸 유년 시절은 그의 정체성에 혼란을 가져왔다.

파트릭 모디아노 1945-

모디아노의 소설에 등장하는 아버지는 뿌리 뽑힌 유대인이거나 은밀한 거래에 가담한 사기꾼이거나 가짜 신분으로 살아가고, 위기에 놓여있거나, 아들을 버리거나, 사회적 도리를 져버린 자로 그려진다. 어머니도 크게 다르지 않다. 비정하고 냉혹하며 자식을 돌보지 않거나 보호자 역할을 거부한다.

그래서인지 모디아노 소설의 주인공들은 청소년기를 막 벗어나 성인이 되어 '이정표도 없는 넓고 막막한 대지처럼 보이는 삶 속에 내 던져진 듯이 외로운 존재'로 그려진다.

그들에게 청춘 시절은 '모든 것의 언저리에서 미결인 상태로 불안정했던 시기이며, 절망과 고독속에서 누군가의 따스한 손과 목소리를 찾아 헤매는 시간'이고 그런 청춘 시절을 회상하는 작품 중 하나가 바로 <메모리 레인>이다.

1981년 발표된 이 소설의  화자는 청춘 시절에 만났던 그룹과 그 멤버 사이에 일어났던 신비로운 '화학 작용'을 이야기한다. 모디아노 특유의 감성과 우수가 담긴 문체가 돋보이는 기억 미학의 결정체라 할 수 있다.

이렇듯 모디아노의 소설에서 '만남'은 매우 중요하다. 주인공이 새로운 인물을 만나고 그와 맺어가는 관계의 이야기가 대부분이다. 그리고 그 만남은 대부분 방황하는 젊은 남녀가 비슷한 상황에 있는 상대를 만나거나, 손윗사람을 만나는 것으로 그려진다. <메모리레인>은 이렇듯 가족은 아니지만 서로 아픔과 상처를 어루만져 줬던 '소그룹'과 함께 나누었던 시간과 감정, 그런 시간으로 채워졌던 공간에 대한 그리움으로 가득 차 있다.

이 소설의 화자는 옆 사무실에서 일하는 '벨뤼'이라는 인물과 친분을 맺는다. 그리고 그의 중개로 나이와 직업과 과거가 매우 다양한 사람들로 구성된 소그룹에 합류한다. 그 모임에서 화자에게 <메모리레인>이라는 노래를 가르쳐준 미국인 더그도 만난다.

화자는 기억 속 소그룹과 그들과 함께 했던 그 공간들을 이렇게 추억한다.

"그들은 시월 말부터 이듬해 유월까지 비에르종 근처에 있는 그로부아에서 주말을 보내며 나를 그리고 초대했다. 그로부아는 야릇한 건축물이었다. 건물 정면은 희고, 두 개의 로마네스크 양식 지붕은 뾰족했으며, 창마다 차양이 달려 있었다. 집을 둘러싼 삼단

벽돌 계단이 버딤돌 역할을 했다. 외관이 솔로뉴 풍경에는 어울리지 않는 집이었다"

그리고 노래 <메모리 레인>을 가르쳐준 미국인 더그도 그립다.

"어느날 밤, 더그는 기타를 치며 우리에게 그의 고향 켄터키의 연가들을 불러줬다...이 노래는 새벽에 지나가는 것을 보았으나 돌아오지 않은 말에 관해 이야기..." 지나가는 것을 보았지만 돌아오지 않는 게 우리의 인생은 아닐까?

작가 모디아노에게 늘 부재의 존재였던 아버지라는 인물을 그는 콩투르에게서 찾게 되는데,

"콩투르는 내게 체스와 브리지 게임을 가르쳐 주려 애썼고, 나를 테니스 클럽과 뇌이유의 승마 연습장에 등록시킬 정도로 마음을 써줬다. 그는 내가 댄스도 배우고 운전 면허증도 발급받기를 원했지만, 그렇다고 나를 닦달할 수는 없었다. 그는 무신경한 내 옷차림에도 심란해 했다. 어느 가을날 오후 그는 콜리세 거리에 있는 그의 단골 양복점에 나를 데려가

직접 천을 고르고 내게 양복 두벌을 사줬다...나는 그가 나같은 아들이 있었으면 좋겠다고 했을 때 감동했다.”

그런가하면 미완으로 끝난 정사에 관한 아쉬움도 나타난다.

“나는... 나른한 듯한 그 아름다운 여인을 바라 보았다.어느 오후, 나는 그녀를 품에 안았고 그녀의 금발이 내 뺨을 쓰다듬었다. 그러나 폴과 다른 사람들이 갑자기 도착하면서 그녀와 나는 더 나아갈 수 없었다. 아쉽게도 그런 기회는 다시 오지 않았다.”

그렇게 미완으로 끝난 사랑의 회한은 계속된다.

“그녀는 내가 처음부터 자신에게 연정을 품었고,그 점에 감동했다고 말했다...그 오후의 그녀는 기껏해야 서른살 쯤으로 보였다. 지금 내가 후회하는 한 가지 사실은 그녀와 결혼하지 않았다는 것이었는데...폴 콩투르가 이혼을 받아들이지 않으리라 생각했기 때문이었다. 나이 차이? 나이 차이가 무슨 의

미가 있을까? 마들렌과 나는 아주 멋진 커플이 될 수도 있었다"

그리고는 미국인 더그가 가르쳐준 노래 <메모리 레인>의 가사를 알려 준다.

"메모리 레인
말들은 오직 한번만 메모리 레인을 지나가지,
그렇지만 말 발굽 자국은 남아 있지.."

이렇듯 결국엔 흔적만 남는게 삶임을 모디아노는 이국 (미국)의 노래를 빌어 그려내고 있다.

운명처럼 따라붙는 외로움 때문에 사람들은 타인을 필요로 하고 일정 기간 그들과 행동을 같이 하지만 결국엔 개개인의 삶 속으로 돌아간다. 그렇듯 허망한 삶은  이렇게 표현된다.

"사람들이 떠나버린 해변에 우리가 모두 남아있었던 그 오후는 우리 삶과 닮았다는 생각이 들었다. 몇몇 존재가 우연히 서로 만나 소그룹을 이룬다. 그랬다가 모두 뿔뿔이 흩어진다."

세월이 흐른뒤 돌아보는 특정 시기가 우리에게 주는 우울함 서정과 회한, 그리움은 이렇게 그려진다.

“10년 넘게 프랑스를 떠나 있다가 돌아왔을 때 나는 그들 각자의 소식을 전해줄 수 있는 얼마 되지 않는 사람들을 통해 그들이 그 뒤에 어떻게 됐는지 알아봤다. 좋지 않은 소식들, 세월이 흘렀음을 절감하게 한 소식들이었다. 남들이 늙어가는 모습을 자주 지켜봤던 나는 이제 내 차례가 돼 청춘 시절이 끝났다는 사실에 익숙해져야 했다.”

즉, 영원할 거 같던 특정 순간도 모두 변화와 퇴행을 겪을 수밖에 없다.

“그 사이에 ‘소그룹’도 변화를 겪었다. 더그는 심장마비의 희생자가 됐다.. 어느날 밤 , 아무도 모르게 부르동도 떠났다. 어떤 면에서 그는 내가 그를 처음 만났을 때 이미 불확실했던 삶을 완성한 셈이었다...”

모디아노가 기억의 절정에 이르면 그 서정성은 대단

하다. 응집된 그리움과 노스탈지아가 한데 어우러져 강하게 분출된다.

"가을은 노르웨이 거위의 이동과 함께 왔고 그들은 소일거리를 찾아야 했다. 대서양의 바람이 부는 동안, 모래가 텅빈 거리를 서서히 뒤덮는 동안 그들은 '마부에'의 거실에서 카드놀이를 하거나 체스를 두거나 마디의 음반을 들었다."

특정 순간이 아무리 아름답다 한들, 결국엔 죄다 소멸하고 우리의 기억 속에, 그리움 속에 파편들로 향유될 뿐이다. 그 아픔을 줄이기 위해 우리 모두 애써 아름다운 순간을 잊으려 한다. 그 뒤에 오는 처연한 슬픔의 시간에 대비해.

"우리 중에서는 프랑수아즈가 가장 크게 성공했다... 그녀와 나, 우리는 스무살을 함께 맞았다. 우리가 다시 만난다면....아름다웠던 날들을 떠올릴 유일한 사람들이 될 것이다.
하지만 그녀가 그것을 원할까? 때로 우리는 인생의 첫 시기를 지배했던 사람들의 소그룹을 잊으려 애쓴다"

이렇듯 화자는 그들의 운명을 닮은 공간에서 함께 시간을 보내며 온정과 허무를 동시에 느낀다. 존재했던 흔적은 누군가의 기억에만, 그들이 머물렀던 공간에만 어렴풋하게 남는다는 것을, 모디아노는 특유의 서정적이고 아름다운 시적 언어로 그려내고 있다. 잠시 서로 위로가 되지만 결국은 혼자 남아 지나간 시간을 그리워하며 살아가는 것이 인생임을 이야기한다. 그러므로 기억은 그리움이다.

모디아노를 처음 접한 건 <더 먼곳에서 돌아오는 여자>로 번역된 <잃어버린 거리 quartier perdu (원제)>를 읽었을 때다. 계속해서 자신의 존재를 타인에게 묻고 다니던 극 중 화자의 외로움, 불안에 아득한 느낌을 받았다.
2014년 노벨문학상을 타면서 이제 모디아노는 소수의 매니아 층에서 넓은 독자층으로 '팬덤'을 형성했다.

우리가 점점 잊어가는 기억의 문제, 노스탈지아와 회한, 만나고 헤어짐의 문제를 노 작가는 아직도 되뇌이고 있다.

## 9. 무라카미 하루키 단편선<일인칭 단수>

-부끄러운줄 알아요.

하루키의 동명 단편선의 표제작 <일인칭 단수>는 완만하고 아름답게 흐르던 봄밤의 평화가 "부끄러운 줄 알아요"라고 쏘아대는 한 여자에 의해 한 순간에 파괴되는 이야기를 그리고 있다. 그렇게 '나'는 낯선 거리로 내 몰린다.

무라카미 하루키 1949-

무라카미 하루키는 익히 알려진대로 <바람의 노래를 들어라>로 화려하게 등단했다. 이후 소설과 에세이를 번갈아 썼다. 그의 소설이 세련미를 넘어 다소 난해한 구석이 없지 않다면 에세이는 루즈하고 나이브하게 일상의 행복 (소확행)을 주로 그려낸다.

작품집 <일인칭 단수>는 모두 8개의 이야기로 구성돼있고  작가의 미스터리한 세계관, 가벼운 냉소주의, 감성적이면서 가끔은 SF적으로 전개되는 하루키 월드가 잘 드러나 있다. 스쳐 가는 삶 속에 만나고 헤어지고 기억되고 때로는 틀리게 기억하고 기억조차 못하고 지나치는 인연들, 그들에게 혹시나 내가 했을지도 모르는 서운함이나 악행까지를 나이브하게, 강렬하게 그려내고 있다.

<돌베개에>는 대학생이던 '나'가 함께 아르바이트를 하던 어느 여자와 밤을 보내고 그녀의 단가집을 품고 지내게 된다는 이야기다.

“소설가가 되고 싶으냐고 그녀가 물었다.
딱히 그럴 생각은 없다고, 솔직하게 대답했다. 당시

나는 소설가가 되겠다는 생각 같은 건 전혀 하지 않았다. 상상해 본 적도 없었다...그렇게 대답하자 그녀는 내게 흥미를 잃은 눈치였다"

이렇게 우리 삶엔 조용히 스며드는 실망과 슬픔이 존재한다.

<크림>은 재수생 시절, 피아노 연주회 초대장을 받고 찾아간 곳에서 뜻밖의 풍경과 사건들을 만나는 이야기다.
피아노연주회 초대장을 받고 찾아간 곳은,

"오늘 여기서 피아노 리사이틀 같은 것이 열릴 성싶지 않다는 사실만은 명백했다"

라고 표현될 만큼 비 현실적인 곳이었다 . 이런 생각은'죽음'에까지 이르게 된다.

"사람은 누구나 죽습니다.
모든 사람은 언젠가 죽음을 맞습니다. 이 세상에 죽지 않는 자는 한 사람도 없습니다. 또한 사후의 심판을 피할 자도 없습니다. 모든 사람은 죽은 뒤 자신의 죄를 엄히 심판 받습니다.”

이러다 문득 자신이 '기만당하고'있다는 생각이 든다.

“그때 문득 그녀에게 속았는지도 모른다,는 생각이 들었다. 어디서부터랄 것없이 그런 생각이 머릿속에 ...아니, 직관했다고 해야 할까...그녀에게 미움을 살 만한 짓을 한 기억은 전혀 없었다. 하지만 사람은 자기도 모르는 사이 남의 마음을 짓밟거나, 자존심에 상처를 내거나 불쾌감을 안겨주거나 한다”

상대의 악의가 그에 선행한 '나'의 잘못에 기인할지 모른다고 생각하는 것이다.

<찰리파커 플레이즈 보사노바>는 찰리 파커가 요절하지 않았다면?이라는 가정하게 전개되는 이야기로

'나'는 죽은 그의 꿈을 꾼다.

”버드는 어딘가의 틈새에서 흘러 들어오는 기다란 빛속에 혼자 서 있었다... 나는 버드에게서 한 순간도 눈을 떼지 않았다. 잠깐이라도 한눈을 팔면 그가 사라져버릴지도 모르니까.“

그러면서 여기서도 ‘죽음’은 강박적으로 되풀이된다.

”물론 죽음은 언제나 예고 없이 찾아오지,,.
버드가 말했다.
하지만 동시에 지극히 완만한 것이기도 해. 자네 머릿속에 떠오르는 아름다운 프레이즈와 마찬가지야. 순식간에 지나가는 동시에, 한없이 잡아 늘일 수도 있지...나는 하루하루 살면서 죽어 있었는지도 몰라“

<위드 더 비틀스 With the Beatles>는 비틀즈 열기가 한창이던 시절 ’나‘가 겪은 첫사랑의 이야기가 그려진다.

스러져가는 젊음을 바라보는 노작가의 시선이 따스하게 그려진다.

"나이 먹으면서 기묘하게 느끼는 게 있다면 내가 나이를 먹었다는 사실이 아니다. ..그보다 놀라운 것은 나와 동년배였던 사람들이 이제 완전히 노인이 되어버렸다..는 사실이다"

그러면서 꿈이 사라지는 것을 청춘의 소멸로 보고 있다.

"꿈이 죽는다는 것은 실제 생명이 소멸하는 것보다 슬픈 일인지도 모른다."

이 생각은 '기억'으로 이어지는데,

"이상한 질문인데, 혹시 기억이 끊긴 적 있어?
기억이 끊겨요?
응, 그러니까 어느 시점부터 그 다음 어느 시점까지, 자기가 어디서 뭘 했는지 전혀 기억 못하는 그런 거...사실은, 나는 기억이 통째로 날아가 버린 경험이 몇 번 있거든."

그러한 '그녀'의 오빠로부터  그녀가 자살했다는 소식을 듣게 되는데,,

”죽다니 왜요?...
자살했어...그리고 유서같은 것도 전혀 남기지 않았어“
존재는 언젠가는 꿈을 잃고 소멸에 이르게 됨을 '나'는
깨닫게 된다.

<야쿠르트 스왈로스 시집>에선 성적이나 재정상태도 좋지 않은 구단을 숙명적으로 응원하는 ’나‘의 이야기가 그려진다.

”...1968년부터 1977년까지 십년 동안, 나는 실로 방대한 거의 천문학적 횟수의 ‘지는 경기’를 지켜보았다. ..그렇다 .인생은 이기는 때보다 지는 때가 더 많다. 그리고 인생의 진정한 지혜는 ‘어떻게 상대를 이기는가’가 아니라 오히려 ‘어떻게 잘 지는가’하는 데서 나온다“

사이가 안 좋았던 선친과 잠시나마 다시 이어준 것

이 바로 야구였음을 떠올린다.

"야, 잘됐다. 아버지가 내게 말했다....그러고 보니 내가 서른 살에 소설가로 데뷔했을 때도 아버지는 거의 똑같은 말을 했다. "

그러면서 생은 이기고 지는 것의 단순한 문제가 아닌 흐르는 시간의 문제라고 말하는데,
"물론 지는 것보다야 이기는 쪽이 훨씬 좋다. 당연한 얘기다. 하지만 경기의 승패에 따라 시간의 가치나 무게가 달라지지는 않는다. 시간은 어디까지나 똑같은 시간이다....시간과 잘 타협해서, 최대한 멋진 기억을 뒤에 남기는 것, 그것이 중요하다"

<사육제(Carnaval)>는 '나'처럼 슈만의 <사육제>를 좋아하는 한 여자와 나눈 기묘한 우정, 그녀의 숨겨진 이야기가 펼쳐진다.

"F*를 보고  내 머릿속에 제일 먼저 떠오른 생각은 당연히, 정말 못생겼다는 것이었다...그녀의 강한 개성은 바로 그 평범하지 않은 외모가 있기에 비로소

효력을 발휘하는 것... 요컨대 F*가 풍기는 추한 외모의 크나큰 격차가 독자적인 다이너미즘을 구축하는 것이다. 그리고 그녀는 그 힘을 의식하고 조정하고 행사할 줄 알았다..."

그런데 세상은 가끔은 이러한 '익센트릭함'이 통하기도 한다는 것을 슈만을 빌어 이야기한다.

"소나타 같은 고전적인 형색을 원래부터 선호하지 않았던 슈만은 이따금 종잡을 수 없을 만큼 몽상적인 작품을 써냈다...많은 동시대인의 눈에는 확실한 기초와 내용이 결여된, 익센트릭한 작품으로밖에 비치지 않았다. 결과적으로는 그 대담할 정도의 익센트리시티가 낭만파 음악을 전진시키는 강력한 추진력이 되었지만".

존재의 익센트릭함은 '가면'에 대한 사유로 이어진다.

"우린 누구나 많건 적건 가면을 쓰고 살아가. 가면을 전혀 쓰지 않고 이 치열한 세상을 살아가기란 도저히 불가능하니까. 악령의 가면 밑에는 천사의 민낯이 있고, 천사의 가면 밑에는 악령의 민낯이 있어...
가면을 쓰고 있는 사이 얼굴에 들러 붙어서 뗄 수 없어진 사람도 있을 수 있겠네...
그래, 그런 사람도 있을 수 있지..하지만 설령 가면이 얼굴에 달라 붙어 떨어지지 않는다 해도, 그 아래 또 다른 민낯이 있다는 사실은 바뀌지 않아."

<시나가와 원숭이의 고백>에서는 여행 중 만난 기묘한 원숭이와의  몽환적 만남을 이야기한다.

'나'는 온천마을 료칸에서 종업원으로 일하는 원숭이를 만나게 된다.
그런데 그 원숭이의 삶이라는 게 인간의 그것과 별반 다를 바가 없다.

"의지가지없이 혼자 어떻게든 식량을 확보해서 살아나가야 했습니다. 하지만 뭐니뭐니 해도 제일 괴로운 건 누구와도 소통할 수 없다는 점입니다. 원숭이와도, 사람과도 얘기할 수 없어요. 고독하다는 건 정말 슬픈 일입니다"

그런데 그 원숭이는 동료 원숭이가 아닌 인간 여자에게 끌리는 습성을 갖고 있고 그로 인한 성욕은 당연히 해소할 방법이 없다. 해서 그 원숭이만의 비법이 있다.

“.. 언제부턴가 저는 좋아하는 여자의 이름을 훔치게 되었습니다...주로 염력을 사용합니다. ...그 사람의 이름이 적힌, 물질적인 형태가 필요합니다. 신분증이 가장 이상적이지요. 운전 면허증이나 학생증, 보험증, 여권 등, 아니면 이름표 같은 것도 괜찮고요...보통은 훔칩니다...그것에 적힌 이름을 오랫동안 응시하면서, 정신을 오로지 한 점에 집중하고, 사랑하는 이의 이름을  고스란히 거둬 들입니다. 시간이 오래 걸리고, 정신적 육체적 소모도 크지만 ...그녀의 일부는 저의 일부가 됩니다. "

그러면서 사랑은 곧 고독임을 실토한다.

"네 , 그것은 어찌 보면 궁극의 연애일지도 모릅니다. 하지만 동시에 궁극의 고독이기도 합니다“

그럼에도 사랑은 그 기억만으로도 아름답고 가치있

는 것임을 인정한다

.

"설령 사랑이 사라져도, 사랑을 이루지 못한다 해도, 내가 누군가를 사랑했다, 연모했다는 기억은 변함없이 간직할 수 있습니다"

이렇듯 기묘한 원숭이를 만난 뒤 '나'는 녀석에게 자신의 이름을 잃어버린 미모의 한 여자를 만나게 된다.

"죄송합니다.갑자기 제이름을 잊어버렸지 뭐예요. 부끄럽게도.
그럴때가 가끔 있어요?
네 요즘 들어 가끔 그래요. 제 이름이 생각 안 나는 거예요. 블랙아웃된 것처럼... 그 무렵 운전 면허증을 잃어버렸어요. 점심시간에 공원 벤치에서 쉬면서 바로 옆에 핸드백을 놔 뒀거든요"
그렇다면 그 기묘한 원숭이는 '나'의 상상 속에 실재했던 걸까?

표제작인 <일인칭 단수>는 바에서 낯선 여자에게 자신은 기억도 못하는 '과거'일로 인해 비난받는 이야기다.

기분 좋은 봄날 저녁, '나'는 아내가 집을 비운 사이 한껏 차려입고 거리로 나온다.

"기분 좋은 봄날 저녁이었다...한동안 정처없이 거리를 걷다가, 바에 들어가 칵테일이나 마시기로 했다...."
그런데 어느 여자가 불쑥 '나'의 평온을 깨트린다.
"그러고 있으면 , 재밌나요?
...그녀가 무슨 말을 하려는지 여전히 감도 잡히지 않았지만, 적잖은 악의 혹은 적대감이 담겨있다는 것만은 감지할 수 있었다....
그런게 멋있다고 생각해요? 도회적이고, 지적이라고 생각하느냐고요?"

해서 "나'는 그녀에게 자기를 아느냐고 묻는다.

"실례지만 제가 아는 분이시든가요? ...혹시 저를 다른 사람과 착각한 게 아닐까요?"

그러자 '그녀'가 대답한다.

“난 아마 당신이 아는 분은 아닐 거예요...직접은..딱 한번 어디서 뵌 적은 있지만 그렇다고 특별히 친밀하게 얘기를 나눈 건 아니니까..그래도 난 당신 친구의 친구예요...당신과 친한 그 친구는, 아니, 한 때는 친했던 친구는 지금 당신을 무척 불쾌하게 생각하고, 나도 그 여자와 마찬가지로 당신을 불쾌하게 생각해요. 잘 생각해봐요. 삼년 전, 어느 물가에서 있었던 일을. 거기서 자신이 얼마나 지독한 짓을, 고약한 짓을 했는지. 부끄러운줄 알아요”

'나‘는 더 이상 참지 못하고 바를 나와 낯설어진 거리를 마주한다.

“계절은 더 이상 봄이 아니었다. 하늘의 달도 사라졌다. 그 곳은 더 이상 내가 알던 원래의 거리가 아니었다. 가로수도 낯설었다...”

10. 찰스 부코스키 장편 <팩토텀>
-사랑은 진짜 인간들이나 하는 겁니다 나는 진짜 인간들을 싫어합니다.

묘비명 '애쓰지 마라don't try'로 유명한 찰스 부코스키 (Charles Bukowski 1920-1994) 는 현대 미국 언더 문학의 대부이자 이단아로 유명하다. 빈민가와 허름한 술집에서나 오가는 속어들로 이루어진 대화들은 규범을 당연시하는 주류문화에 대한 저항으로 읽힐 수 있다.

부코스키는 문학뿐 아니라 대중 예술에도 큰 영향을 끼쳤고 시나리오를 쓰기도 했다. . <팩토텀>은 <우체국>, <여자들>과 함께 '부코스키 삼부작'으로 불린다. 세 작품 모두 작가의 분신이라고 할 수 있는 '헨리 치나스키'가 등장한다. <팩토텀>은 2005년에 영화화되었다.

찰스 부코스키 1920-1994

부코스키는 1920년 독일태생으로 세 살 때 미국으로 이주한다. 2년만에 대학을 중퇴하고 독학으로 문학의 길로 접어든다. 도스토옙스키, 투르게네프, 니체, DH 로렌스, 셀린, EE 커밍스, 파운드, 판테, 사로얀 등의 영향을 받았다. 스물네 살 때 잡지에 첫 단편을 발표하지만 출판계에 환멸을 느껴 하급 노동자로 10여 년을 지낸다. 그러다 12년간 우체국에서 일하며 시를 쓴다. 그가 전업 작가로 들어선건 49세였다. 백혈병으로 사망한 그의 장례식은 불교식으로 진행되었다.

이 <팩토텀>은 헨리 치나스키의 시점으로 진행되는데 그는 하급 노동직을 전전하면서도 작가로서의 미래를 포기하지 않는다. 그러면서 어떻게든 전장에 나가는 것만은 피해 다니는 병역기피자다. 그가 미국 전역을 떠돌며 20여 곳의 직장을 구했다가 그만둘 때까지의 87개의 에피소드로 그려져 있다.
각각의 에피소드는 서로 무관한 듯 연결돼 있고 미국 현대 도시 이면의 또다른 음울함을 시니컬하고 서정적으로 그려내고 있다. 시를 쓰기도 한 부코스키의 이 작품은 산문으로 쓰인 장문의 시라 할 만큼 고난도의 문장력을 선보인다.

치나스키는 아버지를 폭행하는 패륜아면서 구치소를 제 집 드나들 듯 하는 부랑아이기도 하다.

"그리고 나서 그들은 나를 LA 카운티 구치소로 호송했다...잔은 강간 미수에서부터 폭행, 과다노출, 공무집행 방해에 이르는 다양한 형태의 고발 조치들로부터 나를 간신히 빼내 주곤 했다. 평화의 교란은 내가 가장 좋아하는 일이기도 했다."

치나스키는 아버지로부터 전쟁에 나가지 않는 비겁한 놈이란 욕까지 듣는다.

“얼마나 못된 놈이면 전쟁이 터져도 나라를 위해 군대에 갈 생각조차 않으니...”

그런가 하면 먹을 것이 없어 가게에서 오이를 훔치는 쪼잔한 인간이기도 하다.

“나는 그 상점 앞을 지나쳤다. 그런 다음 다시 방향을 틀어 그 상점으로 다가갔다. 출입문 앞에 야채 판매대가 놓여 있었다. 판매대 위에는 토마토, 오이 오렌지, 파인애플, 그리고 포도가 진열되어 있었다... 나는 오이 하나를 집어 들고 주머니에 쑤셔 넣었다. 그리고 그 곳을 떠났다”

하지만 그런 짓을 하는 자신에 환멸을 느끼기도 한다.

“나는 주머니에서 오이를 꺼내서 다시 오이 더미 꼭대기에 올려 놓았다.”

그는 자신의 학창시절을 이렇게 요약한다.

“나는 내가 또라이라는 사실을 학창 시절에 처음 알았다. 다른 또라이들 한 둘이 당했던 것처럼 나도 아이들로부터 욕설과 조롱과 야유를 들었다. 두들겨 맞고 도망다녔던 다른 또라이들에 비해서 나의 유일한 장점은 무덤덤했다는 것이었다 .애들에게 둘러싸여 있을 때도 나는 겁을 먹지 않았다. 녀석들은 결국 나를 공격하지 않았고, 대신에 공격 목표를 다른 또라이로 바꿔서 내가 보는 앞에서 그 녀석을 두들겨 패곤했다”

그는 ’가난‘을 이렇게 묘사한다

“빈털터리라고요?
직업을 찾고 있지요..난 흔히들 말하는 땡전 한 푼 없는 신세예요. 마지막 남은 동전 한 닢을 땅콩버터 한병과 빵 한 덩어리를 사는데 써 버렸죠..."

이런 성향은 잡역부로서의 현실과 작가로서의 이상 사이에  깊은 갈등을 일으키는데,

“그러나 어떻게 생각을 멈춘단 말인가? 왜 이 난간을 닦는 일에 내가 선택되었나? 왜 나는 안에 들어가 시정의 부패를 비판하는 논설을 쓰고 있을 순 없는가? ”

그러면서 예술이란 것도 뱃속이 든든해야 가능한 거라고 고백한다.

“ 그렇지만 불행하게도 굶주림은 예술을 돕지 않았다. 그저 방해만 할 뿐이었다. 인간의 영혼은 위장에 뿌리를 내리고 있다...궁핍한 예술가라는 신화는 새빨간 거짓이다... 모든 것이 다 새빨간 거짓말이라는 것을 깨닫고 난 뒤에야 사람은 더 현명해지고 동료 인간의 피를 짜내고 그를 태워 없애기 시작한다. ”

이런 부류의 인간들이 흔히 그렇 듯 그의 내면엔 조금이라도 권력이 생기면 권력 행사를 할 것이라는 날선 각오가 서있다.

"지독한 개자식이 된다는 건 할만해. 세상은 강한 자가 차지하게 마련이거든... 힘없는 남자들, 여자들, 어린이들의 부서진 육신과 삶 위에 나의 제국을 세울 수도 있으리라. 그리고 내내 그들 앞에서 나의 제국을 으스댈수 있으리라. 이 모든 것을 보여줄 수 있으리라."

그러면서도 한없이 복잡한 성격이어서 주류 문화에 대한 반감을 종종 드러낸다.

"아마도 발송지에서 이 소포를 포장한 친구는 일자리를 잃을까봐 너무나 겁을 먹은 나머지 도저히 부주의하게 일을 할 수가 없었던 모양이다. 대개 그런 인간은  삼십 육개월 할부로 새 차를 산 지 일곱 달 정도 되고, 마누라는 월요일 밤마다 도자기 교실에 나가고, 은행의 주택 융자 이자에 산 채로 잡아먹히고 있는 중이며, 다섯 아이 모두가 각자 하루에 우유를 한통씩은 먹고 있는, 그런 부류의 인간일 것이다"

치나스키가 탐닉하는 건 경마, 여자, 섹스, 술인데,

특히 섹스에 대한 도발적이고 대담한 묘사는 비속어들로 가득 차 있다.

"내 음경이 일어섰다. 그녀는 신음 소리를 내며 내 물건을 깨물었다. 나는 비명 소리와 함께 그녀의 머리채를 움켜쥐고 그녀를 뒤로 확 밀쳐냈다."

하지만 그는 분명 섹스와 사랑을 구별할줄 아는 분별력을 갖고 있다.

"사랑은 진짜 인간들이나 하는 겁니다.
당신도 진짜처럼 들리는데요?
난 진짜 인간을 싫어합니다.
그런 사람들을 싫어한다고요?
그런 사람들을 증오하죠”

이렇듯 방탕하고 엉망으로 사는 치나스키도 한가지 꿈만은 놓지 않는다. 그것은 작가로서의 열망이다.

“나는 내 단편들을 계속 손으로 썼다. ...글래드모어는 내 글 중 상당수를 본인이 직접 작성한 반려 통지서와 함께 되돌려 보냈다...그렇게 나는 일주일네 너댓편씩의 이야기를 보내서 글래드모어를 계속 바쁘게 만들었다”

그러면서 인간은 ’희망‘없인 살 수없다고 고백한다.
“희망. 사람을 낙담시키는 것은 바로 희망의 결핍이다”
그러다 단편이 채택되었다는 편지를 받게 되자,

"나는 의자에서 일어났다...미국 최고의 문학 잡지에 실릴 나의 처녀작. 세상이 그때 만큼 멋지게 보인 것은단 한번도 없었다. 그렇게 희망으로 가득찬 세상 말이다”

하지만 작가가 된 후에도 그는 계속 하급 노동직을 전전해야 했고 그러면서 자의식은 점점 병들어가고 예민해져서 거리의 부랑아들을 보는 시선은 처연하기까지 하다.

“나머지 부랑자들은 하역용 경사로를 타고 어슬렁어슬렁 물러나 그 끝에 가서 뛰어 내리더니 골목을 따라 어느 일요일 로스엔젤레스 시내의 불모지 속으로 걸어갔다"

부랑아들과 치나스키는 사실 같은 부류였던 것이다.

그런데 유일한 의지처였던 연인 잔이 다른 놈과 눈이 맞아 그를 떠나는 일이 벌어진다.

"그 전날 나는 잔이 킹슬리 드라이브에 사는 뚱뚱한 부동산 중개인의 집으로 이사하는 걸 도와주었다.나는 안 보이게 현관 저만치 뒤에 서서 그 인간이 잔에게 키스하는 것을 지켜 보았다. 그러고나서 그들은 그의 아파트 안으로 들어가버렸고, 문이 닫혔다. 나는 혼자서 다시 거리를 내려 왔다"

이후로 치나스키의 우울감은 눈에 띄게 깊어간다. 섹스와 사랑을 구별할 줄 아는척 하던 인간이 자신의 섹스 파트너를 진정으로 사랑했던 것이다. 이렇게 예민해진 그의 내면은 그 어느때 보다 가진자와 없는자의 구별에 민감하게 반응한다.

"...주정부 고용 담당 직원들이 책상에 앉아있거나 그 옆에서 어슬렁거리고 있엇다. 그들은 담배를 피우고 있었는데, 부랑자들보다 더 걱정스러워 보이는 표정들이었다. 직원들과 부랑자 집단은 두꺼운 철사로 엮어 만든 철조망을 사이에 두고 갈라져 있었다. 철조망은 바닥에서부터 천장에까지 닿아있었고, 누군가가 철조망을 노란색으로 칠해 놓았다. 아주 냉담하게 보이는 노란색이었다”

빈민들의 열악하고 무기력한 삶은 계속해서 묘사되는데,

“생산직 노동자 소개소는 빈민굴 한 구석에 위치해 있었다. 이곳의 부랑자들은 옷을 좀 더 잘 입고 있었고, 좀더 젊었지만, 무기력하기는 매 한가지였다...”

그리고는 <팩토텀>의 가장 잊지 못할 구절이 나온다.

.

"나는 카드를 작성하기 시작했다 . 주소와 전화번호 칸에는 이렇게 적었다. '없음'
 그리고 교육과 노동 능력 칸에는 이렇게 적었다. ' 로스엔젤레스 시립대학에서 2년. 저널리즘과 미술'...

그리고 나는 직원에게 말했다.

“잘못 썼어요. 다시 한 장 받을 수 있을까요? ...
나는 고쳐 적었다. '고졸, LA고등학교, 발송계원. 창고계원. 막노동 인부, 타자 조금' “

자신이 조금이라도 배운 식자라는 것이 하급 노동직을 구하기엔 오히려 장애가 됨을 깨닫고 이력서를 고쳐쓰는 대목이다.

이처럼 잔의 떠남은 치나스키에게 자신의 ‘가난’을 더 한층 예민하고, 부조리하게 느끼게 한다.

" 손을 폈을 때 손바닥 안에 보이는 것은 검은 얼룩 하나와 이상한 모양의 작은 날개 두 개가 전부였다. 무無“

라고 쓰고 있다. 사랑을 잃음으로서 그는 '무'의 세계에 빠져 든 것이다.

그러나 결국 그를  다시 맞아주는 존재들과 마주하게 되는데,

"나체 무용수들의 사진이 현관 앞 유리에 진열되어 있었다. 나는 성큼 다가가서 입장권을 샀다. 새장 안의 여자는 사진보다 훨씬 나아 보였다...우리는 살색 거즈 틈새로 그녀의 거웃을 볼 수 있었다. 밴드는 그녀의 엉덩이를 정말로 후려 갈기고 있었다.

그리고 나는 내 그걸 세울 수 없었다"

이렇듯  치나스키는 스스로 말하듯 고독한 존재고, 한여자, 한 장소에 , 한 직장에 정착하지 못하는 떠돌이다. 그런가 하면 겉으로는 여성을 섹스의 대상으로만 여기지만 잔이 떠나고 나서 그의 허무감은 이루 말할 수가 없다. '아버지를 패는 패륜아, 더 낮은 임금쪽으로 옮기는 불합리한 인간, 주류 문화에 저항하는 반항아', 자기가 본것을  섬세하게 그려내는 탁월한 작가이자, 깊은 연민을 불러일으키는 모순으로 뒤범벅된 우리 자신의 자화상은 아닐까?

《우체국(Post Office)》(1971), 《팩토텀(Factotum)》(1975), 《여자들(Women)》(1978), 《호밀빵 햄 샌드위치(Ham on Rye)》(1982), 《평범한 광기 이야기(Tales

of Ordinary Madness)》(1983), 《할리우드(Hollywoo
d)》(1989), 《펄프(Pulp)》(1994).

## 11. 피에르 파솔리니 장편 <폭력적인 삶>

-어서 가! 내 옆에 있지 말고 나가서 맘껏 즐겨. 오늘은 일요일이잖아!.

1975년 11월 이탈리아 오스티아 인근에서 끔찍한 살인 사건이 벌어진다. 그 피해자는 유명 영화감독이자 작가였던 파솔리니로 밝혀진다.
파솔리니는 이탈리아 현대 문학의 대표 작가이자 영화감독이었고 , 기성 엘리트 문학에 반발, 지배 담론에 저항했다. 전 후 1960년대 이탈리아 네오리얼리즘 영화를 대표하는 그의 두 번째 장편소설이 <폭력적인 삶 >이다.

그는 첫 번째 소설 <거리의 아이들>에서도 자본주의 사회의 어두운 뒷골목을 그려 재판에 회부되기까지 하였고, 두 번째 작품인 이 <폭력적인 삶> 역시 어두운 사회 모습과 폭력, 동성애, 절도 등 기득권이 싫어하는 이야기들만 모아놓은 인상을 준다. 파솔리니는 빈민층의 폭력성을 도덕적 잣대 없이 그 자체로 그려냄으로서 그 안에 내포된 순수성을 한층 더 극명하게 표현했다.

파솔리니는 1922년 이탈리아 볼로냐에서 태어났다. 시인으로 먼저 데뷔하나 자신의 동성애 성향이 알려져 공산당에서 축출되고 쫓기듯 로마로 이주했다. 이후 로마 변두리의 도둑, 동성애자 ,창녀, 살인자 등을 소재로 작품 활동을 하게 된다.
적나라한 성 묘사로 물의를 일으키기도 하지만 <폭력적인 삶>으로 문학적 입지를 다지게 된다. 그리고는 영화 시나리오, 연출까지 하게 된다. 문학과 영화를 통해 파시즘과 부르주아를 비난하고 그에 저항했다.

피에르 파올로 파솔리니 1922-1975

<폭력적인 삶>은 톰마소 푸칠리의 성장 소설이다. 소설은 13살 소년에서 20살에 죽기까지 8년에 걸친 기간을 그리고 있다.
톰마소는 로마 변두리 빈민촌 피콜라상하이에 사는 소년이다. 빈민촌은 파시스트가 재개발 결과 생겨

난 공간이다. 시내 고적지에 살던 하층민들은 로마 교외로 강제 이주 당했고, 전쟁 후 여기에 피난민들이 가세하면서  빈민촌은 우범지대로 변해간다.

이탈리아의 1950년대는 2차 대전 이후 괄목할 경제 성장을 이뤄낸 시기이면서 동시에 로마 빈민촌 사람들의 상대적 박탈감이 극에 달한 시기이기도 했다.

로마 외곽의 빈민촌과 그 밤 풍경이다.

"저녁 6시 혹은 7시쯤 됐다...거리에 일찍 나온 창녀들만 주위를 배회했고 소형 오토바이들이 가리발디 다리에서 카라칼라까지 부르릉거리며 달렸다...마침내 로마가 잠들었다. 명확히 말하자면 야경꾼들은 잠을 자지 않았다. 먹구름이 점점 짙어지며 건물들 처마 사이와 광장에 비 바람을  퍼부을 것 같았다. 크리스마스가 다가왔지만 날씨가 너무 궂었다. 안전한 곳에 도착하자 녀석들은 서로 작별인사를 했다."

이런 로마의 양면성에 분노한 파솔리니는 빈민가 아

이들의 순수와 폭력, 선과 악에 그 어떤 개념도 부여하지 않고 있는 그대로 그려내고 있다. 그들은 오로지 본능적 욕구를 해소하기 위해 도둑질하고 욕정을 풀기 위한 도구로 성을 갈구할 뿐이다. 성행위의 거친 묘사는 파솔리니 문학 전반의 공통된 코드라 할 수 있다.

톰마소는 아레네의 육체에 순수한 욕정으로 대응한다.

"톰마소는 슬슬 부아가 치밀었다. 그는 정말 흥분해서 난간에 무릎을 대고 의자에 편히 누웠다. 이레네의 가슴이 거의 그의 코 앞에 있었다... 풍만하고 탱탱하며 아름다운 가슴이..."

빈민촌 아이들과 부촌 아이들 사이의 계급 차는 소설의 중요한 모티브로 작용하는데, 톰마소는 도시 빈민계급에 속해있으면서도 상류층과 우정을 맺고 부잣집 아이들을 부러워하며 그들 계급으로 신분 상승하기를 희망한다. 청순한 이레네와의 만남과 그녀와의 결혼을 갈구하는 것 또한 그런 내면이 반영된 것이다.

"우리 간소하게 약혼식을 하자!...그는 이레네의 어깨에 손을 얹고 가까이 끌어 안았다...톰마소와 이레네는 포옹하듯 꼭 끌어안고 걸었다...두 사람은 보통 애인들이 그렇듯 인상을 찌푸린 채 목적지를 향해 말 없이 천천히 걸어갔다"

그러나 이레네와 섹스를 하려던 톰마소의 꿈은 산산조각 나는데 발기가 안되는 것이다.

"사랑해...뭐야, 나한테 무슨 일이 일어난거지? 어째서 발기가 안되는거야?"

이렇듯 태생이 빈민가 출신인 톰마소의 육체는 무기력에 빠져있다.

그런데 이런 이레네를 모욕한 우편배달부를 칼로 찔러 2년간 감옥을 갔다온 뒤 그의 삶은 커다란 변화가 생긴다.
자신의 가족에게 작은 아파트가 배당되었기 때문이다.그러면서 자신이 이제는 어엿한 중산층이 되었다고 생각하지만 몸에 이상을 느끼게 되고 이어서 실시된 징병 검사에서 폐결핵 판정을 받는다.

“톰마소는 몸이 좀 이상했다. 저녁에 특히 더했다.... 구토가 나고 으슬으슬 추워서 잠이 깼다. 그러다가 어머니와 큰소리가 오가면 옷을 입고 빈민촌으로 가서 친구들과 어슬렁거렸다..그 무렵...영장이 배달됐다”

이렇게 해서 그는 병원에 입원하게 되고 그곳에서 정치의식의 변화를 경험하고 자기 '본연의 계급'을 위해 할 수 있는 일을 찾는다. 그러다 피콜라상하이가 홍수에 잠기는 일이 벌어진다.

“여기저기 판잣집 몇 채가 간신히 버티고 서 있었다. 하지만 산쪽에서 흘러 내려온 진흙이 창턱까지 쌓여서  덧문 두 개를 부수고 집 안으로 들어가기 시작했다. 이윽고 진흙 사태가 현관문을 부쉈고, 집 안에 있던 가재도구, 의자 상자, 신발, 그릇, 부서진 탁자들이 밖으로 쏟아져나왔다. 이 모든 것이 집 앞에 쌓여있었다. 그러다가 곧 진흙이 흘러내려 마을 가운데로 밀려갔고,완전히 부서진 판잣집 다른 잔해

들과 섞여 강으로 쓸려갔다"

이렇듯 빈민가는 비 한 번에 완전 무의 세계, 폐허의 세계로 변하고 만다.

그때 톰마소는 아픈 몸으로 물에 뛰어들어 노파를 구한다. 그 이후 그의 병세는 점점 악화된다.

"톰마소는 몸이 덜덜 떨렸고 정신이 혼미해서 아무것도 보이지 않았다. 무슨 일이 일어나고 있는지 이해하는 데 그리 오랜 시간이 걸리지 않았다. 아까보다 더 심한 기침 발작이 그를 뒤흔들며 나가떨어지게 했다...그는 지금 자신에게 무슨 일이 일어나고 있는지 잘 알았다.
엄마, 나 아파 , 의사좀 불러줘"

그리고는 마지막으로 자신을 찾은 친구들에게 말한다.

"어서 가! 내 옆에 있지 말고 나가서 맘껏 즐겨. 오늘은 일요일이잖아!..."

그렇게 그는 숨을 거둔다

파솔리니 소설에서 빈민촌 아이들은 거의 대부분 죽음을 맞는다. 그들이 비참한 삶에서 빠져나올 수 있는 방법은 죽음뿐이다. <거리의 아이들>, <폭력적인 삶>모두 그렇다.

파솔리니에 의하면 '민중은 자신이 보여주는 역사를 의식적으로 인식하지 못하며, 그들의 의식을 통해서가 아닌 무의식적인 단순성을 통해서 역사를 쇄신하고 민중의 원초적 생명력과 지식인의 지적인 힘이 맞물릴 때 새로운 사회와 역사가 탄생'한다 .
파솔리니는 이성과 합리성, 발전과 진보라는 이름 아래 소외되고 억압받아 왔던 것들 본연의 성스러움, 민중의 거친 생명력 속에 숨어있는 순수함을 드러내고자 했다.

## 12. 슈테판 츠바이크 장편 <초조한 마음>
-전쟁은 내게 도피처이자 구원이었다.

이 작품은 인간의 감정 중 가장 미묘한 부분, 즉 '연민'을 본격적으로 다룬다. 연민의 정의는 ' 다른 사람의 처지를 불쌍히 여기는 마음 또는 상대의 슬픔을 견디기 힘들어하는 감정'이다.
츠바이크는 이 연민을 두가지로 나누는데,
'연민에는 두가지 종류가 있다. 그 중 하나는 나약하고 감상적인 연민으로 초조한 마음에 불과하며, 함께 고통을 나누는 대신 남의 고통으로부터 본능적으로 자신의 영혼을 방어한다. 진정한 연민이란 감상적이지 않은 창조적 연민으로, 이것은 무엇을 원하는지를 분명히 알고, 힘이 닿는 한 그리고 그 이상으로 인내심을 가지고 함께 견디며 모든 것을 극복하겠다는 의지'라고 적고 있다.

이렇듯 '연민'백과사전격인 이 작품은 연민이라는 이름으로 포장되고 행해지는 인간의 나약함 ,위선을 극명하게 그려내고 있다.

슈테판 츠바이크 1881-1942

츠바이크는 오스트리아 유대계 가문에서 태어나 빈에서 수준 높은 교육과 예술을 배우며 성장했다. 이후 시인으로 먼저 이름을 알린 뒤 여러 나라를 자유롭게 여행하면서 당대 지성, 예술가들과 교류하였다. 작가 로맹 롤랑, 시인 라이너 마리아 릴케, 지그문트 프로이트 등과 친교를 맺다가 1차 대전의 발발로 자신이 그토록 자부심을 느낀 유럽에 대해 환멸을 느끼게 된다. 그리고는 여러 곳을 떠돌다 브라질에서 두번째 아내와 함께 자살로 생을 마감한다.

그의 대표작으로는 <광기와 우연의 역사> <어제의 세계>그리고 유일한 장편 소설인 이 <초조한 마음>을 들 수 있다. 그 외에도 그는 수많은 소설과 평전, 시, 희곡을 남겼고 사후 다수 영화화되었다.

<초조한 마음>은 츠바이크가 나치를 피해 오스트리아를 떠난 뒤 1939년 스톡홀름과 암스텔담에서 출간되었다. 인간 내면을 섬세하게 그려내 예술성과 대중성을 다 인정받은 작품이다.
<초조한 마음>에 앞서 그의 다른 두 대표작을 간단히 보면,

<광기와 우연의 역사>는 키케로에서 메흐메트 2세, 발보아, 헨델, 루제 드 릴, 웰링턴, 나폴레옹, 괴테, 서터, 도스토옙스키 등을 다룬 서양 지성사라 할 수 있다. 츠바이크는 현실적으로 성공한 사람보다는 도덕적으로 올바르게 살았던 사람에게 더 마음이 간다고 쓰고 있는데 그만큼 인물의 내적 고뇌와 갈등, 당시 시대정신을 깊이 있게 그려냈다.

<어제의 세계>는 1914년 발발한 1차 대전에 대한 회고록이다. 그 어떤 동기나 명분도 없는 전쟁이라 비난함으로서 평화주의자인 츠바이크의 단면을 잘 보여준다. 그리고 그 이면엔 파리와 함께 유럽 문화와 예술의 수도 역할을 해온 수도 빈에 대한 애증이 깔려있다.

츠바이크의 작품은 대개 비극적인 결말을 맺는다. 주인공은 언제나 내적, 외적 상황 때문에 다가온 행복을 놓친다. <초조한 마음>에도 이런 작가의 특징이 잘  드러나 있다.

소설의 배경은 1차 대전 발발 직전 오스트리아-헝가리 접경지역이다. 헝가리 주둔지로 발령받은 안톤 호프밀러 소위는 부유한 실업가인 케케스팔바 저택으로 초대 받아 가고 그곳에서  다리가 자유롭지 못한 그의 딸 에디트를 만나게 된다. 그녀가 불구임을 모른 채 춤을 청한 뒤 낭패감을 맛본다.

“나는 테이블로 다가가 정중하게 절을 하며 춤을 청했다. 당혹스러운 눈빛이 나를 멍하니 쳐다보았다.

그녀의 입은 말을 하려다 멈춘 듯 반쯤 열린 채 굳어져 있었다."

그리고는 자신의 잘못을 만회하기 위해 그녀에게 연민을 베풀기로 결심한다.

"...그녀의 불행을 생각할 때마다 밀려오는 고통스러우면서 강렬한 연민이 내 안에서 뜨겁게 솟구치는 것이 느껴졌다...그녀를 생각하거나 바라볼 때마다 연민과 함께 샘솟는 애정을 느끼며 나는 한 발짝 더 가까이 다가갔다"

그 결과 에디트는 그를 사랑하게 된다. 그러나 그런 둘을 지켜보던 에디트 주치의인 콘도어 박사는 호프밀러에게 이렇게 경고한다.

"새로운 치료법에 의한 자극이 무뎌지면 그에 따른 반응이 온다는 겁니다. 그렇게 되면 재빨리 치료법을 바꿔야 합니다. 우리 의사들은 치료가 되지 않는 환자에게는 계속해서 이런 속임수를 쓴다는 겁니다"

문제는, 호프밀러 역시 자신의 에디트에 대한 감정이 자신의 당혹스러움을 감추려는 비겁한 술수임을 알고 있다는 것이다.

"나는 이 세상에 나쁜 일이 발생하는 까닭은 사악함이나 잔인함이 아닌 나약함 때문이라는 것을 처음으로 이해하기 시작했다 "

그러면서 자신의 솔직한 마음을 이렇게 토로한다.

"에디트가 말하면서 이따금씩 물거품이 이는 듯한 밝은 웃음소리를 낼 때마다 나는 소름이 돋았다. 에디트가 모르는 것을 나는 알고 있었기 때문이다. 그녀가 자신에게 속고 있다는 사실, 우리가 그녀를 속이고 있다는 사실을 나는 알고 있었던 것이다"

불구라는 이유로 만인에게서 거짓 연민을 받으며 살아온 에디트는 이런 기형적 사고를 갖게 되는데,

"무슨 소리예요!...당신 휴가 문제는 아빠가 30분만에 해결해줄 거예요. 아빠는 국방부에도 아는 사람이 많아요. 상부에서 지시가 떨어지면 당신은 원하

는 바를 얻을 수 있을 거예요"

즉 그녀는 돈과 권력이면 만사가 다 해결된다고 믿고 있다. 이것이 바로 타인들이 그녀에게 베푼 싸구려 연민의 결과인 것이다.

그런데 호프밀러의 최대 약점은 바로 '돈'이었다.

"돈이야말로 나의 약점이었다! 돈과 관련해서는 내가 불구였고 내가 목발을 필요로 했다."

그렇다면 호프밀러 자신은 애써 감추지만 에디트가 그 아버지에게서 물려받을 '돈'에 대한 욕심 때문에 그녀에게 '연민'을 베푼건 아니었을까, 라는 의문이 남는다.

그런데 에디트는 이미 호프밀러가 자신에게 갖고있는 연민의 실체를 알고 있다.

"당신은 내가 '혼자'라서 온다고 하셨죠? 정확히 말하면 내가 빌어먹을 의자에 묶여있기 때문이겠죠. 단지 그 이유 때문에 당신은 매일 이곳에 오는 거군요. 착한 사마리아인처럼 '몸이 불편한 가엾은 아이'를 보러 오는 거군요. 당신들은 내가 없을 때는 다들 나를 그렇게 부르죠? 나도 다 알고 있다고요. 당신은 단지 동정심 때문에 오는거군요...그런 '좋은'사람들은 매맞는 개나 더러운 고양이에게도 항상 연민을 느끼잖아요. "

이어서 에디트의 자살암시가 이어진다.

"언젠가 이 테라스가 나에게 얼마나 유용하게 쓰일수 있는지는 아빠도, 의사도 , 건축가도 생각 못했죠...족히 4,5층은 될거예요. 아래는 단단한 돌이고요. 이 정도면 충분하죠..보세요, 아주 쉬워요! 이렇게 몸을 숙이기만 하면,.."

이후  둘의 극적인 키스가 이어지는데,

"나는  허리를 굽혀 에디트의 이마에 가볍게 입술을 갖다댔다..그런데 갑자기 이불 위에 얌전히 놓여있던 에디트의 양 손이  위로 번쩍 솟구친 것이었다. 그녀는 내가 피할 새도 없이 양손으로 내 관자놀이를 꽉 움켜쥐더니 내 입술을 자신의 이마에서 떼어내

입술로 가져갔다...그토록 거칠고 절망적이고 갈증에 허덕이는 키스를 경험해본 것은 그때가 처음이자 마지막이었다“

이후 둘은 해프닝처럼 약혼하게 된다. 그리고 호프밀러는 자만감에 빠지는데,

”그날 밤 나는 신이었다. 나는 이 세상을 창조했다. 그리고 이 세상은 자비와 정의로 가득했다. 나는 한 사람을 창조했다. 그리고 그의 이마는 아침처럼 순수하게 빛났고 그의 눈에는 행복의 무지개가 담겨있었다. 나는 풍요로움으로 식탁을 차렸다“

그러다 기적같은 일이 벌어진다. 에디트가 걷는 일이 벌어진 것이다.

”그녀가 걷고 있었다! 그녀가 걷는 것이었다! 부릅뜬 눈을 나에게 향한 채 에디트는 투명한 끈을 잡고 몸을 끌고 가듯이 앞으로 움직이고 있었다“

그러나 에디트는 이내 고꾸라진다.

"곧 내 품에 안길 것을 기대하며 팔을 격렬하게 앞으로 뻗은 것이 화근이었다. 에디트는 균형을 잃었다. 마치 낫으로 베인 듯 무릎이 꺾이면서 에디트는 내 발 앞에 쿵 쓰러졌고, 그녀가 들고 있던 목발은 큰 소리를 내며 바닥 위에 떨어졌다. 그 순간 충격에 휩싸인 나는 그녀에게 달려가 몸을 일으켜주는 대신 나도 모르게 뒷걸음질을 쳐버렸다"

이렇게 에디트는 다시 '불구'라는 자신의 '현실세계'로 돌아온다.
그리고 호프밀러는 에디트와의 약혼을 후회한다.

"나는 약혼을 했지. 약혼을 당했지. 하지만 그건 무효야..에디트는 조금 전에도 막대기처럼 쓰러졌잖아...그런 사람과 어떻게 결혼을 할 수 있어! 그건 진정한 여자가 아니잖아1"

그러면서 에디트의 피에 아버지인 케케스팔바 (원래는 카니츠)의 유대인 피가 흐르는 것까지 비난하는 비열함을 보인다.

결국 배반당한 에디트는 테라스에서 몸을 던져 세

상의 가짜 연민으로부터 탈출 (자살)하게 된다.

그리고는 1차 대전이 발발하고 호프밀러는 에디트의 죽음으로 인한 자책과 괴로움으로부터 탈출하는 식으로 전장으로 간다.

"전쟁은 내게 도피처이자 구원이었다. 범죄자가 어둠속으로 도망치듯이 나는 전쟁 속으로 도망친 것이다..나의 나약함이, 사람의 마음을 유혹한 후 도망쳐버린 나의 연민이 한 사람을, 그것도 나를 열정적으로 사랑해준 유일한 사람을 살해했다고..."

이렇듯 호프밀러는 에디트 부녀에게 기대만 잔뜩 안겨주고 무책임하게 달아난 싸구려 감상주의자이자 에디트와의 약혼을 동료들 앞에서 부정하는 비겁자로 드러난다.
이 작품은 진정한 연민과 잘못된 연민 (초조한 마음)을 안톤과 에디트의 관계, 그리고 콘도어 박사와 맹인 아내의 관계를 대비해 극명하게 보여주는데, 이런 의미에서 콘도어 박사는 호프밀러가 지향해야 할 또 다른 자아라 할 수 있다.

이 작품은 액자식 구성으로 작가가 주인공으로부터 이야기를 듣는 방식으로 이루어진다. 이런 구성은 싸구려 연민과 비겁함을 '나'가 아닌 '그'의 잘못으로 돌리려는 우리 안의 교활함을 표현했으리라.

참고로 츠바이크는 ‘벨 에포크 Belle Époque’라 불리는 유럽의 황금 시대에 활동했다. 그 시기, 유럽의 문화와 예술은 최고조에 달했고 츠바이크는 진정으로 그 시기를 사랑했다.
시기적으로는 프로이센-프랑스 전쟁이 종결된 1871년부터 제1차 세계대전 직전인 1914년까지의 평화롭고 풍요로운 유럽을 뜻한다.
표면적으로 이 시기에는 유럽 내 전쟁이 없고 중산층이 약진한 기간이며 예술 분야에서는 인상파, 표현주의, 입체주의, 초현실주의 등과 같은 ‘아르누보(Art Nouveau, 새로운 예술)’운동과 아방가르드가 시도되었다. 그러나 한편으로는 서구의 아시아, 아프리카 식민주의 정책이 기승을 부렸고 노동계층이 소외당한 비극의 시대이기도 하다. 이 시기는 종종 예술적 데카당과 경제적 자유 방임으로 대변되는 '세기말'과 동의어처럼 취급되기도 한다.

요약하면 <초조한 마음>은 호프밀러라는 싸구려 감상주의자가 에디트의 유일한 의지처인 목발을 빼앗은 이야기이자 우리 안에 내재된 타인에 대한 무자비하고 잔인한 폭력성을 긴 호흡으로 그려낸 작품이라 할 수 있다.

13. 호레이스 맥코이 장편<그들은 말을 쏘았다>

-이걸로 제발 쏴줘요, 쏴요. 이 고통을 끝낼 방법은 이것뿐이에요

호레이스 맥코이 (1897-1955)는 생전엔 그닥 빛을 보지 못한 작가이지만 당시 유럽 실존주의 지성들 가운데선 명성이 자자했다. 진절머리나는 삶을 '쉴 새 없이 춤을 춰야 하는 댄스 마라톤'에 비교한 <그들은 말을 쏘았다 They shoot horses, don't they?>는 그의 대표작으로 미국 대 공황기에 쓰여졌고 그의 사후 영화로 만들어지기도 하였다.

작가가 실제 체험한 사실을 모티브로 쓰여졌고 출간 당시 대중적 인기를 얻지 못했지만 1940년대 중엽, 사르트르, 지드, 말로등 프랑스 작가들을 중심으로 재 평가 되었다

.

호레이스 맥코이 1897-1955

한때 연극, 영화에서 배우로도 활동한 맥코이는 미국 테네시주 인근의 가난한 지식인 가정에서 태어났다. 1차대전에 참전해 프랑스 정부로부터 훈장도 받는다. 이후 소설가가 되려고 신문사에 들어가 스포츠, 범죄 취재기자로 일했으나 상류층과 어울려 가

산을 탕진, 여러직업을 전전하다 마라톤 댄스대회 경비원으로 일하면서 그때의 경험으로 이 소설을 썼다.

여주인공 글로리아는 삶의 마지막 희망으로 마라톤 댄스대회에 참가하지만 그것은 고통과 악몽, 처절한 좌절의 연속이었다. 결국 그녀는 삶이 아닌 죽음을 택하게 되고 자신의 파트너에게 자기를 죽여달라고 한다.
이렇듯 삶의 모순과 공포, 피곤함, 타인의 고통을 구경거리로 생각하는 인간의 무심함, 잔인함이 드러나 있다.

여주인공 글로리아의 꿈은 거대한 게 아니다. 댄스 마라톤을 보러오는 영화 관계자들 눈에 띄어 단역이라도 맡는 게 다였다.

"그 대회를 보러 영화 제작자와 감독들이 많이 온대요. 그 사람들 눈에 띄면 영화 배역을 딸 수도 있어요."

그러나 대회의 풍경은 우리의 삶처럼 처절하리만치 고통스럽고 지루하다.

“참가자들은 하나 둘 떨어져나갔다. 2주 만에 50여 커플이 탈락했다. 글로리아와 나도 한 두 번 탈락할 뻔 했으나 가까스로 살아남았다. ”

대회 주최측은 대회 홍보를 위해 가짜 결혼까지 제안할 정도로 인간의 타락이 극대화돼서 나타난다.

“결혼이요?...이상하게 생각할 것 없어. 두 사람한테 각각 500달러씩 챙겨줄게. 대회가 끝나면 이혼해도 좋아. 평생 둘이 살라는 게 아니라고. 그냥 쇼맨십 차원에서 그러자는 거야.”

이렇듯 우리들의 삶은 광기로 가득 차 있다.

“페드로는 두 손으로 그녀의 목을 조르면서 억지로 몸을 일으켜 세우려 들었다. 그의 얼굴에 광기가 흘렀다. 이대로 두었다가는 그녀를 죽일게 틀림없었다”

또한 세상은 위선적 모럴로 가득차 있다.

“저희는 도덕지킴이 어머니 연맹에서 나왔어요..단도직입적으로 말할게요...우리 연맹은 이 대회에 반대해요. 천박하고 모욕적이고 지역사회에 악영향을 미치니까요”

그러나 삶을 온몸으로 체험하는 글로리아에게 그런 모럴 따위가 통할 리 없다.

“도덕지킴이 어머니 연맹이라고 했나요?남자랑 안 잔 지 20년은 된 사람들만 모여있나 보죠?..나가서 돈주고 한번씩 하지 그래요? 그게 문제인 것 같은데”

거의 죽은 목숨이 다 돼서도 삶이라는 댄스 플로어에서 내려올 수 없는 존재의 고통은 반복적으로 그려진다.

“하지만 글로리아는 몸이 괜찮지 않았다. 우리는 정상적으로 경주를 치르지 못하고 있었다. 지난 이틀 완주한 게 용할 정도였다. 두 번의 경주 동안 글로리아는 열 번도 넘게 경주로 밖으로 실려 나갔다가 돌아 왔다...청진기 만으로는 그녀의 고통이 어디서 비롯되는지 찾아낼 방법이 없었다”

대다수 인간의 꿈이란게 대단한 게 아님이 묘사된다. 그럼에도 이루어지지 않는 것이다.

“규모가 작은 영화를 먼저 해보려고요...일단 20분이나 30분짜리 영화를 만들 겁니다. 고물상의 하루나 지극히 평범한 남자의 삶을 찍고 싶어요. 예를 들면 일주일에 300달러를 벌면서 자식들을 키우고, 집도 사고, 차도 사고, 라디오도 사는 남자, 그래서 늘 돈에 쫓기는 남자가 주인공인 영화요”

글로리아 죽음의 전조처럼 한 남자가 살해당하는 사건이 대회 도중 발생함으로서 우리의 삶은 도처에 죽음의 그림자가 깔려있음이 묘사된다.

“바닥에는 한 남자가 죽어 있었다..나였으면 좋았을 걸, 글로리아가 작은 목소리로 중얼거렸다.”

마침내 글로리아는 삶을 마감하기로 하고 파트너인

‘나’에게 자신을 죽여달라고 간청한다.

”이제 뭐 할 계획이에요?
이 도돌이표에서 벗어나려고요. 이놈의 고약한 것과도 이제 끝이에요.
고약한거?
인생이요
..
그녀 손에는 작은 권총이 들려 있었다...이걸로 제발 쏴줘요...쏴요. 이 고통을 끝낼 방법은 이것 뿐이에요
어디를 쏠까요?
여기, 관자놀이에다가.
나는 총을 쐈다...나는 바다에 총을 던졌다“

이렇듯 소설 전반을 지배하는 것은 음울함, 모순, 광기다. 이것은 실존주의 , 부조리문학 과 닮아있다.

실존주의 문학은 1940~1950년대에 프랑스에서 전개된, 실존주의 사상이 반영된 문학이다. 20세기 중엽 이후 부조리한 현실에 대한 허무와 절망・불안・

초조 속에서 고립된 인간이 극한 상황을 극복하여 진정한 인간상을 확립하고, 잃었던 자아를 발견하고자 하는 문예사조를 말한다. 사르트르, 까뮈 등을 중심으로 한 철저한 인간중심주의 문학을 가리키고, 이는 '실존주의'라는 단어 자체가 무신론적이라는 의미를 내포하고 있기 때문이다.
덧붙여 부조리문학은, 삶과 죽음, 고립과 소외, 소통의 단절 따위의 주제를 중심으로 인간 존재의 근본적 무의미에 대한 인식을 드러내는 문학 경향을 말하고 2차 대전 동안 연극에서 두드러지게 나타났다.

1차 대전 직후 독일에선 표현주의가 등장했다면 2차 대전 중에는 부조리 철학, 하드보일드 문학이 탄생한 것이다.

맥코이의 또다른 대표작 <I should have stayed home>역시 부나방같은 헐리우드의 삶을 꿈꾸다 상처받는 젊은이들을 그리고 있다 . 그런 면에서 '잃어버린 세대lost generation'를 연상시키기도 한다.

인간의 삶자체가 영원히 '상실된 것'임을 알면서도

우리는 '광란의 춤'같은 삶을 계속해야 하는 것을 맥코이는 명료, 심플하고 하드보일드하게 그려냈다.

## 14. 앙드레 드 리쇼 장편 <고통 >
### –모욕당한 여인이 몸을 일으켰다.

거의 매 문장마다 '고통'이 언급되고 있는 이 작품은 앙드레 드 리쇼(André de Richaud 1907–1968)의 소설 데뷔작이다. 적나라한 인간의 욕망과 적 포로와의 애정행각이라는 파격적인 이야기를 그려내 출간과 함께 센세이셔널한 반향을 불러 일으킨 문제작이다.

이렇듯 리쇼는 세간의 관심 속에 등단했으나 평생을 문단 중심에 서진 못했는데 그것은 지금까지도 하나의 금기로 작용하는 '육체의 강박'이라는 주제에 기인할 것이다. 위선적 모럴로 켜켜이 가려져 있는 육체는 존재의 고통을 유발시키고 관계의 불안정성을 가져온다.

참고로 1930년대 대부분의 프랑스 문학이 멘탈을 추구했음을 상기할 때 이 작품은 이런면에서 큰 의미를 갖는데 그만큼 인간의 원초적 본능을 대담하게 그려냈기 때문이다.

또한 이 작품은 리쇼의 자전적 소설이기도 한데, 부친이 1차 대전 때 전사하자 모친은 리쇼를 데리고 멀리 이사한다. 그리고는 독일군 포로와 사랑에 빠져 리쇼로 하여금 평생 트라우마를 갖게 만든다.

앙드레 드 리쇼 1907-1968

<고통>은 D.H로렌스의 <아들과 연인>을 연상시킬 만큼 모자간의 미묘한 신경전과 애증을 섬세하게 그려내고 있다. 아들이 소녀의 몸을 만지고 있자 엄마

인 테레즈는 소녀의 뺨을 후려침으로서 아들에 대한 집착을 보인다.

“아이들의 순진무구한 눈에서는 아무런 욕망도 엿보이지 않았다...소년은...소녀의 배를 손가락으로 쓰다듬고 있었다. 소년의 입술은 침이 살짝 흘러 반짝거렸다...그녀는 너무 화가 난 나머지 이성을 잃고 소년을 꾸짖고 소녀의 뺨을 수도 없이 후려쳤다. 조르제는 얼굴이 붉어진 채 당황해서 부엌으로 내려가버렸다. 소녀도 울면서 자기 집으로 돌아갔다”

이런 테레즈는 전장에서 죽은 남편의 부재로 철저하게 육체적으로 고립돼 있기 때문이다.

“그녀 내부에서는 뜨거운 피가 점점 더 당당하게 제 몫을 요구하며 돌고 있었다...그녀는 고통스러운 가슴을 상처처럼 부여안고 자신을 수치스럽게 여기면서도, 추잡하기 짝이 없는  책들을 읽으면서 자신의 감각을 자극하며 방황했다. 어떤 남자를 보면 그녀는 자신도 모르게 그의 성기를 상상하곤 했다. 그녀는 오직 사랑만을, 사랑의 행위만을, 열정의 고통만을 생각했다. 그녀는 열렬히 ’사랑을 갈구‘했다. 제

2의 청춘기에 사로잡힌 것이다...남편을 전쟁터로 떠나보낸 다른 많은 여인들은 어떻게 지내는 것일까?"

이렇듯 자신의 고독을 온통 아들인 조르제에게서 보상받으려던 테레즈는 마을에 독일군 포로인 오토가 들어오면서 동요한다. 평생 단정한 요조숙녀 행세를 해야 했던 테레즈는 이제 비로소 욕망의 대상을 찾은 것이다.

"어머니와 아들의 내밀했던 관계는 꽤 소원해져 있었다. 두 사람은 극진한 사랑에서 약간은 적대적인 무관심의 상태로 돌아갔다. 이제 테레즈 들롱부르는 오직 자신과 자신의 연인만을 위해 살고 있었다."

그리고 온 마을은 테레즈를 '독일놈 갈보'라고 손가락질한다. 테레즈는 남편 없는 외로움과 거기서 분출되는 욕구를 오토를 받아들임으로서 해소한 것 뿐인데 타인들은 그것을 부역질한 것으로 몰아갔다.

"마을에 소문이 파다했다...사람들은 하나 둘 그녀에게서 등을 돌리기 시작했다."

그러자 테레즈는 광기 어린 짐승으로 변한다.

"모욕당한 여인이 몸을 일으켰다. 마을 여자들에 대한 욕설과 폭언이 이어졌다...고통으로 미칠 지경이 되어버린 여인을 보는 것보다 고통스러운 일은 없다. 그녀는 분노로 인해 제정신이 아니었을 뿐만 아니라 치명적인 상처를 입었다"

그러나 그 사랑은 오토가 동료들과 타지로 옮겨지면서 끝이 나고 테레즈는 자신이 임신한 것을 알게 된다. 그 고통은 아들인 조르제에게 전이되는데,

" 어머니가 아이를 가졌을지도 모른다는 생각에, 조르제는 창밖으로 뛰어내리고 싶었다. 그렇게 아이의 어머니는 곁에 있는 아들도 아랑곳하지 않고 신을 모독하고 남편을 잊어버린 것이다. 아이는 더 이상 어머니를 사랑하지 않았다"

이렇듯 모친의 쾌락은 아들에겐 또다른 '고통으로 작용한다. 오토가 마을을 떠나자 테레즈는 기절한다.

"마침내 아이는 소매 없는 검은색 망토 차림으로 토넬 아래 자갈 위에 누워있는 어머니를 발견했다...여명이 덧문을 긁어댈 때까지 조르제는 두 눈을 크게 뜨고 있었고, 테레즈는 마치 도살당한 짐승처럼 깊은 잠에 빠져 있었다"

그렇게 세상의 위선과 모럴을 조롱하고 자신의 육체와 욕망에 충실했던 테레즈는 계단에서 구르면서 램프를 건드려 불타 죽는 걸로 생을 마감한다.

"끝나버렸다...그리고 서둘러 계단을 내려왔다. 그런데 발을 헛디딘 것일까...그녀는 계단에서 굴러 떨어졌고, 담요가 걸려있는 난간에 램프가 계속 부딪쳐 깨졌다. 그녀는 고통스러운 비명을 길게 내질렀고, 그 비명은 온 집안을 가득 채웠다.."

리쇼는 이렇듯 남편 없는 한 여자의 아들에 대한 병

적인 집착과 오토라는 3자의 개입으로 그 관계가 틀어지는 데서 오는 관계의 고통, 그리고 육체가 욕망을 이루었을 때 오는 이별과 홀로됨의 고통을 계속해서 대범하고 극명하게 그려내고 있다.
섬세하고 여린 아들 조르제와 육체의 욕망에 충실한 엄마 테레즈의 갈등과 애증은 흔히 '계부와 보들레르의 관계에 비교되기도' 하는데 직업 군인었던 계부가 몽환적 기질의 보들레르와 소통했다고 볼 수 없기 때문이다.

이 작품은 알베르 카뮈에게도 영향을 끼쳐 그로 하여금 소설을 쓰게 하였다고 한다. 그것은 아마도 부조리와 모순으로 가득찬 인간 존재에 대한 공감에 기인했으리라.

## 15. 조르조 바사니 장편 <금테안경>

### -차별과 모욕의 문제

이 작품은 파시즘 시대 페라라를 무대로 펼쳐지고 파시즘은 극단적인 민족주의와 국가주의를 앞세워 갈등과 분열을 일으키고 다수에 속하지 않은 사람들을 고립과 절망으로 몰아넣었다. 바사니는 그 시대를 직접 경험한 유대인으로 파시즘의 비인간성과 사회에서 소외되는 인간의 고통을 그렸다. 그런 의미에서 차별과 박해의 대상이었던 유대인과 동성애자를 주인공으로 등장시켰다.

화자인 '나'는 동성애자인 파디가티에게 연민을 느끼는데 둘 다 사회에서 고립된 존재이기 때문이다.
역사와 집단에 모욕당한 개인의 분노는 일체의 폭력성을 배제한 채 지극히 서정적으로 그려지는데 그래서 더더욱 처연하다. 불치의 고독과 절망에 휩싸인 자가 결국 죽음을 택하는 것으로 소설은 마무리된다.

참고로 파시즘이란, 1차 대전 후 이탈리아의 무솔리

니가 조직한 파시스트당(Fascist黨)을 중심으로 형성된 정치적 이념이며 20세기에 등장한 독재, 전체주의 체제나 운동을 총칭한다. 넓은 뜻으로는 이탈리아 파시즘과 공통된 본질을 갖는 경향이나 운동 및 지배 체제, 제1차 세계대전 후 고도로 발달한 자본주의의 전반적인 위기단계에 출현한 테러리즘(terrorism)적인 수단에 의한 독재정치를 말하고 대부분은 일당 전제(專制)의 형태를 취하며 국수적 사상을 선전한다.
즉 모든 국가주의적 전체주의 운동이나 그 정부를 가리킬 때 사용하는 용어로 이탈리아어 파쇼(fascio)에서 유래했다. 파시즘의 가장 중요한 특징은 국가의 절대 우위이다. 개인들은 국가가 명시한 국민의 통합 원칙을  따르고 국가를 상징하는 지도자에게 복종을 강요당했다. 군사적 가치관을 찬양하고, 자유주의적 민주주의 등의 가치관은 낮게 평가되었다.

조르조 바사니 (1916-2000)는 흔히 '기억의 작가'로 불릴 만큼 자신의 유년기와 청년기를 보낸 페라라에 대해 평생 애증을 갖고 서술했다. 부유한 유대인 집안 출신으로, 1938년 반 유대주의적 인종법이 선포될 무렵부터 반파시즘 활동에 참여하다 1943년 체포되어 구금된다. 무솔리니가 실각하면서 풀려난 뒤 로마에 정착하고 2차대전 후 본격적으로 작품 활동을 해나간다.

바사니 문학의 원천은 '페라라'와 '유대인'이다. 작품 대부분이 무솔리니의 파시스트당 집권기를 전후한 페라라가 무대다. 바사니는 혹독한 시대 상황, 부르주아 의식의 혼란상을 파 헤친다. 그는 역사와 집단으로부터 모욕당한 개인의 의식을 페라라를 배경으로 서정적으로 그려내 페라라 유대인 공동체의 증인으로 자리매김한다.

바사니 문학의 결정판은 '페라라 소설 연작'으로 불리는 작품들의 모음집인 『페라라 소설』(1980)이고 각각의 이야기들은 파시즘 치하의 페라라가 지닌 역사적 면면을 눈부시게 그려낸다.

조르조 바사니 1916-2000

이야기는 파시즘이 기승을 부릴 때를 배경으로 부르주아 계층인 파디가티라는 의사의 이야기로 시작된다.

“1925년 시민들 사이에서 소란이 잦아들고, 거대 국가 정당을 조직한 파시즘이 후발 주자 모두에게 유리한 지위를 제안할만한 힘을 갖게 되었을 때 , 아토스 파디가티는 근사한 개인  병원의 소유주이자 새로 지은 대형 병원 산타나의 이비인후과 과장으로서 페라라에서 이미 견고하게 기반을 잡았다."

파디가티 외모를 '나'는 이렇게 회고한다.

"외모에서 풍기는 인상이 먼저 그에게 호감을 느끼게 했다. 수염 없는 매끈한 빰에 창백한 안색 위로 금테안경이 유쾌하게 빛났고 ..."

여기서 금테안경이란 지식인을 뜻함과 동시에 언제든 깨질 수 있는 유약함을 동시에 나타낸다.

'나'가 청춘기를 보낸 페라라는 작은 공동체인만큼 개개인의 일거수일투족이 회자되는 곳이기도 하다. 그만큼 개인의 자유가 억압되는 곳임을 냉소적으로 그리고 있다.

"작고 투명한 사회에서는 자신의 삶에서 공적인 영역과 사생활을 분리하고자 하는 정당한 요구만큼 무분별한 관심을 불러일으키는 것도 없다"

의사 파디가티가 동성애자임이 밝혀지기 전까지 페라라는 온통 그에 대한 칭찬 일색과 존경에 빠져 있었다.

"그는 모든 귀족층은 물론, 전문직에 종사하거나 장사를 하는 부르주아와 서민층에게도 똑같이 환영받았다.. 게다가 '천성적으로 정치에 무관심한 '성향이라고 조용히 표명했음에도 불구하고 그에게는 파시스트당의 당원증까지 주어졌다"

그런데 파디가티가 동성애자임이 밝혀진다.

"새벽 서너시쯤, 파디가티의 아파트에서는 덧문을 통해 작은 불빛이 매일같이 새어나왔다...그시간 밤의 방랑자도 교통 경찰 만세르비지나 수위 틀라폴리니, 또는 전 축구 선수 바우시가 바로 그 순간 의사의 손님으로 와있다는 사실은 상상조차 못했을 것이다"

파디가티는 동성인 델릴리에르스와 해변에서 보란듯이 애정 행각을 벌인다.

"가족 휴가를 온 페라라 사람들로 북적거렸던 해변에서는 그들의 '볼썽 사나운 우정'이 입방아에 올랐다...8월초부터 이곳저곳 호텔을 옮겨 다니는 그 두 사람이 목격된 터였다. ...”

그러면서 8월 더위 속 페라라가 인상적으로 그려진다.

“아버지는 8월 페라라의 엄청난 불볕 더위에 관해 이야기했다...밤에 잠을 이룰수가 없지요...마치 그 기억만으로도 도시의 더위가 주는 모든 압박을 고스란히 느낄수 있다는 듯 말이다...”

그만큼 페라라의 더위는 그 도시가 주는 압박감, 고립, 차별을 나타낸다.

그러나 파디가티의 연인이었다고 여겨진 델릴리에르스가 실은 이성애자임이 밝혀지고 여태 파디가티와 애정행각을 벌인 것은 순전히 그로부터  이런저런 이익을 얻기 위해서임이 밝혀진다.

“정말로 이상했다. 그의 속셈은 무엇보다도 자신이 파디가티와 함께 있는 것은 요상한 취향 때문이 아니라오로지 공짜로 휴가를 즐기기 위한 것임을. 어쨌든 그의 성적 지향은 여성쪽이라는 것을 나를 이용하여 우연인 듯 널리 알리려는 것이 아니었을까?”

이야기는 동성애자인 파디가티에서 유대인 작중 화자인 '나'에게로 곧잘 옮겨간다. 둘 다 사회에서 고립되고 모욕받는 존재임을 보여주는 대목이다.
'나'는 유대인이라는 정체성 때문에 말할 수 없는 모욕감과 불안을 겪는다.

“...내 안에서는 이루 말할 수 없는 혐오감과 더불어 그리스도교와 카톨릭교, 다시 말해 이도교라 할 수 있는 모든 것에 대한 아주 오래된, 그리고 대를 이어 전해진 유대인의 증오심이 치솟았다. 이교도, 이교도들...나는 자신의 게토 밖에서는 한번도 살아본 적 없는 동유럽의 어느 유대인과 똑같아졌다...매우 가까운 장래에 그들, 이교도들은 칠팔십년 전에야 우리가 벗어났던 참담한 중세구역의 구불구불한 좁은 길에다 또다시 우리를 떼거리로 몰아넣으려 할 것이다. 우리는 겁먹은 많은 짐승들처럼 철책 뒤에 차곡차곡 쌓일 것이고, 거기서 절대 탈출할 수 없을 것이다”

이탈리아 유대인들은 당시 비교적 풍요로운 삶을 산 것으로 보여지는데,

“페라라에서 이스라엘인들은 모두 혹은 거의 모두가 도시 부르주아에 속하고 , 어떤 의미에서 그들은 도시의 힘줄이자 척추를 이루는 존재...그들의 다수가 파시스트였던 것도 사실... ”

유대인들의 다수가 파시스트였음은 가히 충격적인 사실이다.

이야기는 다시 파디가티에게로 옮겨져, 그는 한마리 개를 보며 그 단순한 본능과 자유로움을 부러워한다.

”그 안개의 바다에서 냄새로 우리를 뒤쫓아 왔다는 것에 기뻐하며 개는 멈춰 섰다...이처럼 자신의 본성을 받아들여야겠지. 하지만, 어떻게 해야 그럴 수 있지? 너무 비싼 대가를 치러야 하지 않을까? 인간에게도 다분히 동물성이 존재하는데, 과연 인간이 복종할 수 있을까? 동물이라는 것을, 단지 한 마리의

동물임을 받아들일 수 있을까?“

그리고는 '나'에게로 이야기는 옮겨오는데, 파디가티 같은 창백한 지식인으로만 보여지는 '나'안에 자신을 차별하고 모욕하는 사회와 공동체에 대한 증오가 도사리고 있음이 그려진다.

”한 명은 가해자, 다른 한 명은 피해자. 보통 피해자는 가해자를 용서하고 받아들인다. 하지만 나는 아니다. 파디가티는 나를 잘못 봤다. 증오가 아닌 그 어떤 다른것으로는, 나는 결코 증오에 대응할 수 없을 것이다“
'나'의 아버지는 이탈리아 반유대주의가 곧 걷힐 안개정도라 생각한다.

”최근 몇 달동안 두체는 서구의 민주주의 국가들로 하여금 이탈리아가 이제 독일과 단단히 결속됐음을 믿게 해야 할 불가피한 필요성에 직면하게 되었다. 그렇다면 이러한 효과를 위해 약간의 반유대주의보다 더 설득력있는 재료가 있겠는가?“

그러나 난 아버지와 뜻을 같이 할 수 없다. 나의 내

면은 곧 닥쳐올 불길한 미래에 대한 강박적 두려움으로 가득하다.

”나는 무엇 때문에 부모님의 희망을 공유하지 못하는걸까? 그들의 열광에서 무엇이 나를 불쾌하게 하는 걸까? 절망적이었다. 너무도 절망적이었다...“

그러면서, 그의 절망과 고독감은 점점 더 깊어간다.

”지난 두달 동안 내게서 한시도 떨어지지 않았던 고독감이 바로 그 순간 한층 더 심해졌다. 총체적이며 결정적이었다. 나는 나의 유배지에서 돌아오지 않을 것이다. 절대로“

'나'의  예언대로 얼마 후 이탈리아에선 인종차별법이 발표돼 수많은 유대인이 탄압받고 희생된다. 즉, 역사가 개인을 배반하고 모욕하는 대 사건이 터진것이다.

그리고 파디가티는 포강에서 익사를 택하는 것으로 끝이난다.

작중 화자인 '나'는 과거의 기억을 회상하는 부분에서 기억의 모호성이나 공백을 집단의 기억으로 대체하는데 이는 동일한 사건을 서로 다른 관점으로 바라보고 있음을 나타낸다.
이처럼 이 작품은 1930년대 중반 파시즘 체제를 묵인하며 안일하게 살아가던 페라라 부르주아 사회의 자기분열을 서정적이고 애잔하게 그려 이탈리아 네오리얼리즘 문학을 대표하는 작품이 된다. 알베르토 모라비아를 비롯한 많은 작가, 지식인들이 바사니를 극찬했다.

참고로 이탈리아 네오리얼리즘은 2차 대전 전후 사실주의를 추구했던 이탈리아 영화 장르를 주로 말하고 이것은 파시스트 정권 하의 예술적 억압에 대항하면서 형성되었고 이후에는 사회 상황에 주목했다.

참고자료
https://www.kci.go.kr/kciportal/ci/sereArticleSearch/ciSereArtiView.kci?sereArticleSearchBean.artiId=ART002339

575
네오리얼리즘 - Daum 백과
이탈리아 소설 / 조르조 바사니 - 금테 안경 : 네이버 블로그 (naver.com)
http://rainbowbookmark.com/new/bbs/board.php?bo_table=B12&wr_id=81 외 다수.

## 16. 제임스 조이스 단편 <끔찍한사건>

### -멜랑코리아의 이중성

20세기 최고의 난해한 작가로 평가받는 제임스 조이스의 단편집 <더블리너스>에 수록된 단편 <끔찍한 사건>은 더블린이라는 도시의 집단적 우울증과 그것에 감염된 한 중년 남자의 비극적인 정신 상태를 그림으로써, '마비'(paralysis)로 집약되는 조이스의 주된 테마를 잘 보여주고 있다.

조이스는 약관의 나이에 조국 아일랜드를 등지고 남은 생을 유럽의 다른 지역을 전전하며 스스로 '추방된 자'로 살았다.

당시의 아일랜드는 영국의 지배하에 700년간이나 놓여 있었었고, 국민들은 정체성을 잃어가고 있었다. 수도인 더블린은 그 모든 것의 집결지였고, 조이스는, 그런 조국을 떠나게 되지만, 떠남으로써 더 강하게 붙들리는 정신적외상 trauma을 경험하고, 그로서 더블린은 그에겐 영원한 악령이자 뮤즈가 되었다.

작품 전반을 지배하는 우울증을 정의하자면 '주요 우울증' '신경증적 우울증' '가면성 우울증'등이 있고, '멜랑코리아'는 '명백한 우울 기분, 정신 운동 지연, 격정, 불면증, 반응의 감퇴, 쾌락을 느끼지 못함, 심한 식욕감소와 체중감소, 심한 죄책감'을 특징으로 하는 우울증의 한 종류다. 또한, 우울증은, 자폐증의 여러 부분과 겹치는데, 자폐증 autism은 말 그대로, 자기의 내면세계에 틀어박히는 정신분열증의 일종으로, 1911년 스위스의 정신병학자 블로일러(1857-1939)가 사용한 용어다. 환자는 현실과 외부세계가 모두, 자신의 바람이나 컴플렉스, 환각과 망상에 적합한 형태로만 존재한다 생각하고 그것에 역행할 경우, 현실이 존재치 않는 것처럼 행동한다. 그런 자폐적인 세계에서만 안전하다 믿고, 거기서, 현실과 외부, 꿈과 현실을 분간치 못하는 분열된 정신현상을 보이게 된다.

제임스 조이스 1882-1941

<끔찍한 사건>의 히어로 더피Mr.Duffy는 멜랑코리아와 자폐증이 결합된 표본이라 할 수 있다.

그는 인간 생활에 따라붙는 타인과의 접촉, 그에 따른 불협 화음, 속임수와 시끄러움을 피해 혼자만의 삶을 고집하고 있다.

"제임스 더피씨가 채플리죠드에 사는 이유는 우선 자기가 시민인 도시로부터 될 수 있는 대로 멀리 떨어져 살고 싶기 때문이었고 , 또 더블린의 다른 근교는 모두 천하고 현대식이며 거들먹거리는 것처럼 보이기 때문이었다. 그는 거무칙칙한 낡은 주택에 살았고..."

또한 그는 밝은 것을 싫어하고 늘 피로에 지쳐있는 모습을 보인다. 우울증의 증상이며, 그것은, 창밖으로 내다보이는 리피강에 잘 투영돼 있고, 도시 더블린의 이미지를 요약해주기도 한다.

"...문에서는 버려진 증류주 제조장 안을 들여다보거나, 더블린 아래로 흐르는 얕은 강 (리피강)을 바라 볼 수 있었다...그의 얼굴은 더블린 길거리처럼 갈색이었다"

이처럼, 그는 자신만의 세계에서 이성과의 접촉도 갖지 않고 오랜 기간을 금욕주의자처럼 지내왔다.

또한 더피는 변화를 싫어하고 두려워한다. 그는 한 은행에서 오랜 기간 근무해왔고, 그의 일상은 늘 같은 것이 되풀이되는 정체와 마비의 생활이다. 조이스의 주된 테마가 바로 '마비'paralysis임이 잘 드러나고 있다.

더피에게 '변화'란 자신의 '신성한' 금욕주의를 파괴하는 것으로 인식된다. 하지만, 그런 사람일수록 내부의 외로움은 극에 달한 법이고 정반대의 삶을 갈구하게 돼 있다. 바로, 이중 자아를 갖게 된는 것인데, 그때 나타난 대상이 유부녀 시니코Mrs. Sinico이다. 그런데, 이 Sinico라는 철자를 살펴보면, "I cooperate in Sin"이 돼서, 더피의 죄의식을 말해주는 것으로 해석 가능하다.. 다시 말해, 시니코부인은 더피의 또다른 자아이며 그 자아는 죄의식에 시달리고 있음을 말해준다. 이 죄의식은 또한, 우울증의 주된 증상이기도 하다.

더피가 시니코 부인을 처음 만나, 그녀와의 관계가 진전되는 부분을 살펴보면, 그의 억압돼 온 성적이고 쾌락적인 생활에 대한 동경이 잘 드러난다.

"....어느날 저녁, 그는 로턴다 극장에서 두 숙녀 옆에 앉게 되었다. 극장 안은 사람이 적고 교교한 것이 침울하게도 공연의 실패를 예언하고 있었다 . ('실패'라는 말은 둘의 관계가 맞는 파국을 암시한다 볼 수 있다.)...예전에도 분명 수려했을 그녀의 얼굴은 여전히 지적이었다. ('지적'이라는 표현은 더피 스스로 만들어낸 이미지일 수 있다.)...그녀의 딸이 다른 데 정신을 파는 순간을 포착하여 그녀와 친해졌다. 그녀는 한 두 번 남편이 있다는 것을 암시했지만, 그녀의 어조는 경고의 투는 아니었다 (시니코 부인은 경고의 뜻으로 했을지 모른다–)"

여기서, 시니코 부인이 남편 아닌 다른 남자와의 밀회를 즐기는 것은 매우 통속적인 이유에서다. 그것은, 남편이 선장이므로 집을 자주 비움으로서 남편으로부터 소외돼 있기 때문이다. 더피는 자신의 의지와 상관없이 점점 그녀에게 끌리며 자신과 그녀를 동일시하는데 이것은 우울증 환자들의 관계망상의 한 예라 할수 있다.

그러나 시니코 부인이 격정적으로 나오자 더피는 그녀에게서 멀어진다.

"...그날은 시니코 부인이 평소와 다르게 흥분한 온갖 징후를 다 보이다가 열렬하게 그의 손을 잡아 들고 그것을 자기 뺨에 가져다 눌렀다. 자신의 말을 그녀가 그렇게 해석한 것이 그는 환멸스러웠다. 그는 일주일동 안 그녀를 방문하지 않았다...그들은 교제를 끊기로 합의했다. 그는 인연이란 하나같이 슬픔으로 간다고 말했다....4년이 지나갔다. "

이렇게, 더피는 시니코 부인의 솔직한 감정 표현 앞에서 도망친다. 자신의 숨겨진 부분이 발각됐을 때 오는 당혹감과 무책임함이 우울증의 또 다른 증상이다.

이렇게 시니코부인은 더피에게서 버려진다. 남편에게선 이미 예전에 버려진 존재였고 그것에 대한 보상으로 찾아낸 더피라는 남자에게서 또다시 버려지는 이중의 아픔을 맛보게 된다. 그리고 더피는 그녀를 버림으로서 자신의 죄의식 SINico에서 벗어났다고 느낀다.

"...그는 평탄한 삶의 방식으로 돌아갔다...문장 중 하나는 그가 시니코 부인과 마지막 만나고 2개월 뒤에 쓴 것으로 이러했다. 남자와 남자 사이에 사랑은 불가능하다. 왜냐면 성교가 있어서는 안되므로, 그리고 남자와 여자 사이 우정은 불가능하다 . 왜냐면 성교가 있어야 하므로...그녀를 만나게 될까 봐 그는 연주회를 멀리했다"

남자 여자 사이엔 성적인 접촉이 불가피함을 고백함으로서, 더피의 은폐된 에고가 드러나고 있다. 이렇게 시니코 부인에 대한 병적 동일시 현상이 깨어지자 더피는 잔인한 인간으로 돌변한다. 그러면서, 그녀의 죽음이 바로 자신들의 추억을 더럽혔다고 생각하며 분개한다.

"....'씨드니 퍼레이드에서의 한 숙녀의 죽음—가슴아픈 사건'...드러난 증거를 보면 고인은 철길을 건너려다가 10시 킹스타운 발 완행 열차에 치어 두부와 우측 전신에 부상을 입고 사망하였다...(이상 신문기사)....이렇게 죽다니! 그는 그녀가 죽은 이야기 전체가 역겨웠고 ...그녀는 단순히 자신의 품위를 떨어뜨린 것만이 아니었다. 그녀는 그의 품위를 떨어뜨린 것이었다... 영혼의 반려자라구!"

그러나 곧  더피는 그녀의 죽음에 대해 자책하기 시작한다. 여기서부터, '이피퍼니epiphany,현현, 깨달음'가 시작된다.

"...빛이 흐려지고 그의 기억이 떠돌기 시작하면서 그는 그녀의 손이 자기 손에 와 닿은 것 같은 생각이 들었다..."

그러면서, 시니코 부인에 대해 가졌던 욕망을 고백한다.

"그녀와 기만의 희극을 연출할 수야 없었다. 그녀와 공개적으로 함께 살 수도 없지 않았던가."

그리고, 그녀의 체취를 그리워하며 그녀의 죽음을 실존적 차원으로까지 인식하게 된다.

"그는 그들이 4년 전에 걸었던, 이제는 쓸쓸한 좁은 길을 걸어갔다. 그녀가 근처의 어둠 속에 있는 것 같았다 . 때때로 그녀의 목소리가 귀에 와 닿는 듯, 그녀의 손이 자기 손에 와 닿는 듯 느꼈다...왜 그는 그녀에게 삶을 주지 않았던가? 왜 그는 그녀에게 죽음을 선고했던가? 그는 자신의 도덕적인 본성이 산산조각 나는 느낌이었다"

자폐 환자나 심화된 우울증 환자에게 공통된 증상

가운데 하나는 바로 '청력'의 예민함이다. 그것이 심해지면 환청이 되는데, 이 작품에선 기차 소리가 그 역할을 한다. 기차(전차)소리는, 작품의 도입부에서부터 시작돼 끝까지 등장하면서 더피의 신경을 교란시킨다. 그리고 끝내 그것은 시니코 부인의 이름을 되뇌이는 것처럼 (환청)더피에게 들린다. 그리고 물론 기차는 남성의 심볼로 더피의 숨겨진 욕망을 나타내기도 한다

그러나 이렇게 이피퍼니를 경험했음에도, 더피는 새로운 생을 시작하지 못하고 자기만의 세계로 돌아간다. 나이 40이 넘어서도 이렇다 할 사회적 지위(은행의 일개 출납계원일 뿐)도 없고, 돈도 배경도 없고, 비록 '불륜'으로 다가온 연애였지만, 그것마저 실패하고 말았다는 자멸감에 빠진다. 이 무력감이 바로 더블린과 닮아 있는 것이다.

주목할 것은 시니코 부인의 열차사고가 자살일 가능성이 높다는 것이다.

"(신문)...고인은 밤 늦게 플랫폼에서 플랫폼으로 철길을 건너는 버릇이 있었고, 사건의 다른 정황으로

보건대 그 (철도회사 대표)는 철도 직원들의 잘못이 라고 생각하지 않는다고 했다.."

그것은 한때 시니코 부인과 자신을 동일시 했던 더피의 죽음이기도 하다. 즉, 생중사 生中死의 마비된 삶, 이것이 조이스가 하고픈 이야기는 아니었을까.

프로이드는 '정상인'의 개념을 "약간 강박적이고 약간 히스테리적이고 약간 편집적"이라고 말한 적이 있다. <Dubliners>는 곧잘, T.S Eliot의 시 <프루프록의 연가>와 비교되기도 한다. 황폐한 도시적 스케치와, 그 안의 고립되고 무기력한 인간군상이 매우 흡사하다.

" 자 우리 가볼까, 당신과 나, / 수술대 위에 누운 마취된 환자처럼/저녁이 하늘을 배경으로 사지를 뻗고 있는 지금/우리 가볼까, 어느 반쯤 인적 끊어진 거리, /싸구려 일박 호텔의 불안한 밤의 /속삭거리는 으슥한 길/ 굴 껍질 흩어진 톱밥 깔린 레스토랑을 지나/... 나는 내 삶을 커피 스푼으로 재어 왔기에..."

참고자료/ <더블린 사람들>, 창작과 비평사 ,창비 교양문고 32, 2000/ <James Joyce 소설 연구>, 박성수. 한신문화사, 1993/ <프로이트와 한국문학>, 조두영, 일조각, 2000/ <심리학 통론>, 정양은, 법문사,1998 <Modern Critical Interpretations, Dubliners>, Chelsea House Publishers, NY. 1988 <The Critical Heritage James Joyce, volume1 1907-27> edited by Robert H. Deming, Routledge, 1997/ 기타, 인터넷 검색 다수.

## 17. 로맹가리 단편 <벽-짤막한 크리스마스 이야기>

-고독의 노래

작가 로맹가리는 유태계 러시아인으로 태어나 모친을 따라 남프랑스로 이주했고 모친은 로맹가리가 온전한 프랑스인으로 살아가길 원했다. 그는 대학에서 법학을 전공하고 2차 대전 때는, 직접 공군으로 참전해 아프리카까지 갔으며, 프랑스인으로는 평생에 단 한 번밖에 수상할수 없다는 공쿠르상에 두 번이나 지명이 됐다. 전쟁의 경험을 살려 쓴 장편 <유럽의 교육 (1945)>으로 비평가상을 수상하였고 <하늘의 뿌리>로 1956년 공쿠르상을 수상, 그 후, 에밀 아자르라는 필명으로 쓴 <자기앞의 생 (1975)>으로 두 번째 공쿠르상에 지명된다.

그의 문학은 유태계 러시아인이라는 자기 근본에 대한 부정에서 비롯된 정체감의 혼란, 세계 대전과 홀로코스트가 남긴 인간에 대한 혐오감, 나아가 '유럽'으로 집약되는 '문명 세계'에 대한 비판, 그리고,

그 안에서 부유하는 인간 본성의 나약함에 대한 연민 등으로 집약된다. 1980년 권총 자살로 생을 마감하기 전까지 그는 20여년을 세계 각지에서 프랑스 외교관으로 일했고, 남미에서도 한동안 체류했다. '남미'라는 아직은 문명의 세례를 덜 받은 '원시'의 세계에서 그는 일말의 희망 (<새들은 페루에 가서 죽다>)을 가져보지만, 거기에서조차 인간들의 가증할 음모와 거짓이 횡행함을 목격한다.

<벽>역시 이런 로맹가리의 허무주의를 깔고 있다. 그것은, '서로간의 의사소통이 단절된 상태에서의 오해가 빚어낸 자살'이라는 '부조리문학'의 한 면을 들여다보게 한다.

우선 부조리문학을 살펴보면, '의사소통 불능으로 인한 오해'로 집약되는데 <벽>은 그것을 여실히 보여준다.

부조리문학은 2차 대전 후 기존의 전통문화와 문학의 본질적 신념과 가치에 대한 반발로 나타났고 사상적 기원은 실존주의에 있다 . 실존주의의 포괄적 의미를 든다면, '합리주의적 인간관에 대한 의심과 삶에 대한 근원적 반성, 새로운 생존의 길의 모색'등 으로 요약될 수 있다.

로맹 가리 1914-1980

'부조리'란 용어를 최초로 문학에 도입하고 유행시킨 사람은 알베르 까뮈다. 그는 <시지프스의 신화>

에서, '인간이 태어난다는 것 자체가 그의 선택에 기인하지 않은 모순된 것이고, 그러므로 존재와 삶 자체도 부조리하다. 즉 개인은 이유 없이 낯선 우주에 던져진 존재이고, 우주는 그 어떤 내재적인 진리나 가치와 의미를 지니지 않는다. 인간의 삶은 무에서 왔다가 무로 돌아가는 과정일 뿐'이라고 말하고 있다.

이처럼, 부조리문학의 중심 주제는, 삶과 죽음, 고립과 소외, 의사 전달의 불능으로 요약될 수 있다.

일례로 까뮈의 <오해>를 잠시 살펴보면,

" 마르타-당신은 내가 이해하지 못하는 말만 쓰는군요...오해가 있었죠. 이 세상 일을 조금이라도 안다면, 그리 크게 놀랄 만한 사건도 못되죠...그런데 나는 달라요. 어머니는 나를 버리고, 그리고 이번에는 죽어버렸단 말예요. 나는 두 번이나 잃은 셈이 되죠...죽기 전에 피가 통하는 따뜻한 인간의 손에 내 몸을 더럽히고 싶지 않을뿐더러, 또 무엇인지는 잘 모르지만 지저분한 인간의 애정같은 것에 골치를 썩히다니 , 그건 생각만 해도, 구역질이 나고 피가 끓어오르는 것입니다."

이처럼 <오해>는, 개인을 절망시키고 불행하게 하는 것은 우리 세계의 의사소통 불능과 오해임을 보여주고 있다. 거기서 비롯되는 죽음은 '인간이라는 구질구질한 존재'로부터의 해방이며 또한 '신神이 가버린 시대'에 대한 저항이라고 말하고, 이 모순된 양가의 감정이 바로 부조리 문학이 말하고자 하는 것이다.

로맹가리의 <벽>역시 이런 의사소통의 불능과 오해라는 인간 본연의 문제를 같은 해결책 (죽음-자살)으로 제시하고 있다.

이 작품은 화자인 '나'가 지인인 닥터 레이로 부터 젊은이들의 허망한 자살을 전해 듣게 된다.

" 내가 오랜 친구인 그를 찾아온 것은, 원기와 낙관주의와 집중의 힘을 불러 일으키는 새로운 '기적의 약' 한가지를 처방해 달라고 하기 위해서였다"

화자의 이 말에서 이미, 원기와 낙관주의가 결여

된 이 세계에서 인간의 상처와 고독을 치유하는 '기적의 약'은 없음이 역설적으로 말해지고 있다.

이 말을 들은 닥터 레이는 '벽'으로 상징되는 두 젊은이의 처참한 죽음을 들려준다.

"난 자네의 약을 처방하지 않겠네...하지만 그 대신 벽에 대한 실화 하나를 들려줄 순 있네. 여기서 말하는 벽은 원래의 뜻도 되고 비유적인 뜻이기도 하네. 이 사건은 혹한의 추위가 몰아치던 어느 해 성 실베스트르 축제일 (12월 31일)에 일어났네. 사람들이 우정과 따스함과 기적을 간절히 필요로 하는 때 말일세"

그런 '따스한 시기'에 젊은이들의 자살이 일어났다는 자체가 우리 삶의 허망함, 소외된 개인, 그들의 단절감, 부조리함을 잘 보여주고 있다.

청년의 자살현장에 대한 묘사 역시 추잡하고 부조리한 느낌을 준다.

"그곳의 서글픔과 더러움에 대해서는 자네에게 설명할 필요가 없겠지. 동전을 넣어야 가스난로가 작동하는 초라한 방으로 들어서자 그날 밤 목을 매어 자살한 스무살 가량의 젊은 남학생의 시신이 내 앞을 가로막았네..."

이렇게 생을 마감한 젊은이는 세상에 대해 매우 '신경질적인 '유서를 남겨두었다. 욕망했으나 가질 수 없는 생과 그에 대한 회한이 주된 내용이다.

"그 불쌍한 청년은 자신이 왜 그런 행동을 했는지 적어두었더군. 얼핏 보기에 그는 고독의 발작에 꺾이고 만 것 같았네. 그에게는 가족도, 친구도, 돈도 없었네. 크리스마스가 되자 그의 전 존재가 애정을 갈구하게 되었지 사랑과 행복을..."

그러나 젊은이가 꿈꾼 '전全 존재'를 행복하게 해주는 '애정'은 그리 멀리 있지 않았다. 그는 '천사같은 아름다움'을 지닌 한 처녀를 사랑했고 그녀는 그와 바로 '얇은 벽'하나를 두고 살고 있었다. 그 벽은 너무나 얇은 것이어서, 서로의 의지와 노력만 있었다면 충분히 허물수도 있었을 그런 벽이었다.

그러나 그는 지나치는 결에 그녀를 몇 번 보았을 뿐, 한번도 말을 붙여보지 않았기에 그녀에 대해 자기만의 상상을 키워가야 했다. 까뮈의 주인공들처럼 그와 그녀는 서로에게 자기를 알린다는 것에서 철저히 실패했던 것이다. 그러다 어느 날, 그는 그녀의 방에서 들려오는 그녀의 거친 숨소리를 듣게 된다.

"그런데 그가 슬픔과 낙담에 맞서 싸우고 있는 동안 옆방에서는 벽을 통해 삐걱임, 신음, 그리고 특이한 소리가 들려왔네. 그 소리를 두고 청년은 그 성격을 쉽게 짐작할 수 있는 '독특한 소리'라고 유서에 써놓았더군...그 가엾은 청년은 분노와 경멸에 차서 그것으로부터 벗어나려는 듯 그 소리를 자세히 묘사해 놓았으니 말일세. 그의 글씨는 몹시 흥분한 심리 상태를 반영하고 있었네. 영국 청년이 쓴 것치고 그 글은 상당히 노골적이었네. '

"영국 청년이 쓴 것 치고"라는 부분에서 로맹 가리의 '유럽'으로 집약되는 '문명 세계에 대한 혐오감'을 읽어낼 수 있다. 문명은 인간을 고립시킨다.

이렇게 그는 그녀의 신음 소리를 들으면서 그것이 '성교의 소리'라고 생각한다. 그러면서 '분노와 경멸'에 차서 유서를 쓴다. 그녀를 '천사처럼 아름답다'고 생각한 사람은 자기인데도 그녀는 다른 상대와 성교를 나누고 있으므로 '부조리하다'고 느낀 것이다.

이것은 정신분석에서 '질투망상'에 해당한다. 사랑하는 대상에게 다른 대상이 있지 않을 때는 이 망상에 빠지지 않지만 그 대상이 다른 대상과 관계를 맺고 있거나 그럴 거라고 짐작하면 치밀어 오르는 것이 이 질투망상이다.

하지만 결국, 그녀가 내지른 신음 소리는 오르가즘 상태에서의 '쾌락의 소리'가 아니라 죽음 직전의 '고통의 절규'였음이 밝혀진다. 아래서 '얇은 벽'은 다시 한번 강조되고 있다.

"...얇은 벽—얼마나 얇은지 충분히 짐작할 수 있을 걸세—...주인 여자가 일그러진 얼굴로 방에서 달려 나왔네. 나는 방으로 들어가 커튼을 젖혔네. 침대 위를 한번 바라보는 것만으로도 나는, 벽을 통해 들려와 청년을 절망적인 행동으로 몰아간 그 탄식과 소스라침과 신음 소리의 정체를 청년이 완전히 오해했다는 사실을 알 수 있었네. 베개 위에서 나는, 비소 중독으로 인한 온갖 증상과 고통에도 불구하고 사랑스러운 아름다움을 잃지 않고 있는 금발 여인의 얼굴을 보았네...그녀의 마지막 고통은 길고 극심했던 모양이야.."

그녀 역시 탁자 위에 자신의 유서를 남겼다. '그'가 남긴 것과 다를 바 없는 내용의 유서였다. 그녀 역시 '고통스러운 고독과 삶에 대한 총체적인 혐오감'으로 인해 죽음을 택했다. 바로 얇은 벽 너머에서 그토록 자기를 원하는 한 존재가 있음을 알지 못한 채.

부조리 문학의 특징인 '의사소통의 불능'은 이렇게, 개인들은 노력하는데 되지 않는 차원의 일이라기 보다는 노력조차 포기하게 만드는 타인에 대한 두려움, 시도한다면 상처받을 것이기에 처음부터 포기하게 만드는 그 위축됨을 말하는 것이다. 그것은 오해를 낳고 비극을 가져온다. 그래서 개인은 서로에게 진정한 자기를 알릴 수 없고, 내뱉는 말은 모두 공허한 독백이 되고 만다. 다시 말해 '벽'은 외부가 아닌 개인들 내면에 버티고 있는 상처 받지 않으려는 자의식이다. 이렇게 그와 그녀는 '크리스마스를 방금 지내고 새해가 밝아오는 ' 한해의 마지막 날, 똑같이 목숨을 끊는다.

"그렇다네 벽은...자네의 아주 참신하고 흥미로운 크리스마스 이야기의 주제가 될걸세. 사람들의 가슴 속에 이제 신비의 계절이 다가오고 있으니 말야. "

여기서의 '신비의 계절'은 환원하면 '착란과 실망의 계절'쯤 되지 않을까?

이상 살펴본것처럼, 까뮈의 <오해>와 로맹가리의 <벽>은 '의사소통의 불능으로 인한 오해와 죽음(자살)'이라는 똑같은 부조리 문학의 코드를 사용하고 있다. 그러나 까뮈가 보다 정교하고 억제된 언어형식을 취했다면, 로맹가리는 보다 육화되고 직접적인 '몸의 언어'를 택한 것이 다르다고 할 것이다. 그래서 같은 부조리문학이라 해도 까뮈의 것이 '보다

관념적이고 철학적'인 ' 느낌을 준다면 로맹가리의 그것은 '보다 처연한 실재의 느낌'으로 와 닿는다.

단편 <벽>에서의 자살은 뒤르켐이 분류한 자살 가운데 아노미적 자살에 가깝다. 그들이 소외된 채 버려진 삶을 살아야했던  원인을 사회에 있다 본다면 그렇다.부조리한 사회가 그와 그녀를 죽인 것이다. 모든 자살은 본질적으로 타살이다. 자살 속엔 죽기, 죽이기, 죽임을 당하기의 세가지 심리가 공존한다. 그래서 자살은 자/가학적 성격을 띄게 된다. 매저키즘은 본래 대상에게 향했던 새디즘이 자신에게 되돌려진 것이기 때문이다.

작품 속의 '그'는 추잡하고 냄새나는 누추한 공간에서 사는 '소외된 자'이며 '그녀'도 마찬가지다.
'신경증은 소외된 노동에서 비롯된다'는 말을 인용한다면 그들은 철저히 '노동에서 소외된 '가난한 삶을 살았다. 가난 속에 버려진 그들은 자기들만의 신경증에 시달렸고 최후의 선택으로 자살을 택했다 . 그토록 혐오하는 '세상'이었지만 , 그 세상 속에 속하지 못한다는 열패감이 두 젊은이의 꿈을 무참히 짓밟고 그럴수록 더더욱 자신 속으로 움츠러드는 병적인 나르시시즘에 몰두하게 만들어 자폐의 과정을 거쳐 타자를 타자로서 제대로 인식하지 못한 채 자기만의 상상 속에서 재구성하고 왜곡하며 결국 죽음에 이르게 한 것이다. 이것이 현대병이며 도시가 개인을 마멸시키는 과정은 아닐까. 외부세계의 모든 즐거움을 박탈당한 그들에게 산다는 것은 '신이 가버린 세계'에서 무의미하게 되풀이하는 방황 외의 그 무엇도 아니었으리라. 그런 상황에서, '성애의 환상'은 비록 상상 속에서나마 서로가 서로에게 다가가는 행위가 될 수 있는 것이다.

바티유는 이렇게 말했다.

" 에로틱한 만남을 가질 때 순간적이나마 단절과 유한성이 깨진다...요컨대 에로티시즘은 죽을 때까지 내내 삶을 긍정하는 것이다...에로틱함이란 소모되고 초과된 상태를 뜻한다”

'그녀' 역시 '얇은 벽'을 사이에 두고 '그'에 대해 똑같은 상상과 욕망을 갖지 않았다고 단언할 수 있는가.

프로이트는 ‘인간에겐 두가지 큰 본능이 있는데, 생의 본능과 죽음의 본능이 그것 ’이라고 말했다.

"...개체의 생명 과정은 내적인 이유로 해서 화학적 긴장의 소멸, 즉 죽음으로 향하고, 반면에 다른 개체의 살아있는 물질과의 결합은 그러한 긴장을 고조시켜 이른바 신선한 '생명 고취적 차이'를 도출해낸다는 것이다...정신 생활 및 신경 생활 전반의 지배적인 경향은 자극 때문에 생긴 내적 긴장을 줄이거나 일정한 상태로 유지하는 것, 혹은 그것을 제거하는 것이다. (이것이 바바라 로우의 용어를 빌리면 '열반원칙'이다). 이런 경향은 쾌락 원칙 속에서 발견된다. 우리가 이 사실을 인정하는 것, 그것이 죽음본능의 존재를 믿는 가장 강력한 이유 중 하나다"

유기체가 최초의 상태를 복구하려는 내적 충동 그것을 프로이트는 '죽음본능'이라 명명하고 모든 생명활동이 정지하는 상태가 그것이라고 말하고 있다. 대상에 대한 파괴를 통해 어떤 궁극적인 안정상태에 도달하려고 하는 것을 '생의 본능' (에로스)이라 한 것과 대조를 이루는 것으로, 이 두가지 본능은 인간의 내면에서 서로 충돌하면서 갈등을 일으킨다. 하지만 결국 그 둘은 분리될 수 없는 하나의 '쾌락원칙' 임을 프로이트는 강조하였다.

" ...우리가 얻을 수 있는 가장 큰 즐거움인 성행위가 고도로 강화된 흥분의 순간적 소멸과 연관되어 있다는 것을 우리 모두는 경험한 바 있다"

'벽'으로 인해 '훔쳐보기'마저 거세된 상황 속에서의 예민해진 '청각'이 불러 일으킨 그 상상의 힘이 어느 정도였을까는 쉽게 상상이 간다.

"적어도 한시간에 걸쳐 침대가 삐걱이고 요동치는 소리와 명백한 쾌락의 헐떡임이 들려왔다는 거야. 내가 그 소리를 묘사할 필요는 없겠지..."

'벽'을 사이에 두고, 그는 그녀와 상상의 성교를 즐긴 것으로 볼 수 있다. 그리고 그녀의 신음 소리가 고조되면서 그의 상상 속 성교도 절정을 향해 치닫고 그것이 마침내 절정에 달했을 때 자살을 택한 것으로 해석할 수 있다.

로파타 Lopata는 고독을 ‘고립 isolation과 쓸쓸함 desolation’으로 나눠야 한다고 말했고, 홀로 있어서 일어나는 감정이 아니라 일정하게 필요로 하는 관계나 일련의 관계가 소멸되거나 부재함으로서 발생하게 된다고 했다. 로저스Rogers는, 고독은 타인들로부터 거절될 것을 예상할 때 생겨나는 감정이라 말하기도 하였다.

<벽>의 ‘그’와 ‘그녀’는 지독히 소외되고 고독한 상황 속에서 유일한 출구인 성애의 환각을 연출해냈다. 그리고 그것이 절정에 달했을 때 , 자기들을 버린 이 세상을 미련없이 버리고 떠나갔다.

- 참고자료/ "부조리문학" 황동규역, 서울대학교 출판부, 1984/ '오해' "알베르 까뮈 "까뮈 문학전집" 아카데미, 1983/ '벽-짤막한 크리스마스 이야기' "새들은 페루에 가서 죽다" 로맹가리지음, 김남주 옮김,문학동네, 2002/ '에밀 뒤르켐 자살론' 청아출판사, 김충선역. 2000/ "쾌락 원칙을 넘어서" 지그문트 프로이트, 열린책들 1997/ 'waiting' Ruby,Cohn, "Samuel Beckett's Waiting for Godot", Chelsea House Publishers, 1987/ "모더니즘 문학의 병리성 연구" 한만수, 도서출판 박이정. 2002. / 그 외 , 부조리문학, 소외, 고독, 자살 관련 인터넷 사이트

## 18. 이청준 단편 <눈길>

### -상실된 존재의 집

작가 이청준(1939~2008)은 그리 쉽게 읽히는 작가가 아니다. 부조리한 현실을 뒤틀어 반영하기 때문이다. 그러나 그 속에서 <눈길>은 그의 다른 대작들을 뛰어넘어 한국인이 가장 좋아하는 소설 1, 2위를 다툰다. 그만큼 <눈길>은 우리에게 깊은 울림과 여운을 남긴다.

이청준 1939-2008

<눈길>은 가난 때문에 소원해진 모자母子가 서로간의 근원적 유대감을 되찾아가는 이야기다. 노모가 낡은집을 고쳐달라는 데서 이야기는 시작된다.

서정성으로 가득하면서도 한편 '빛과 어둠'의 이야기이기도 하다. 존재의 거울이라 할 수 있는 빛 앞에서, 한없이 부끄러워 하며 도망 다니는, '상실된 자'의 이야기일 수도 있다.

작품 후반부, 아들을 보내고 혼자 눈밭을 헤매이던 모친의 모습이다.

"울기만 했겼냐. 오목오목 디뎌논 그 아그 발자국마다 한도 없는 눈물을 뿌리며 돌아왔제. 내 자석아, 내 자석아, 부디 몸이나 성하게 지나거라. 부디부디 너라도 좋은 운 타서 복 받고 살거라 ..
갈 데가 없어서가 아니라 아침 햇살이 너무 눈에 시리더구나. 그때는 벌써 동네 아래까지 햇살이 활짝...그렇게 시린 눈을 해 갖고는 그 햇살이 부끄러워 차마 어떻게 동네 골목을 들어설 수가 있더냐. 그 놈의 말간 햇살이 부끄러워져서..."

이것은, 아들인 '나'에게서도 똑같이 그려진다.

"나는 아직도 눈을 뜰 수가 없었다. 불빛 아래 눈을 뜨고 일어날 수가 없었다...졸음기가 아직 아쉬워서도 아니었다. 눈꺼풀 밑으로 뜨겁게 차오르는 것을 아내와 노인 앞에 보일 수가 없었다.."

이렇게 , 모자 모두 눈밭과 전구 불빛으로 그려진 '빛' 앞에서 부끄러워하며 몸을 숨긴다. 외부의 빛과 마음의 어둠이 강렬하게 대비됨으로서 강한 정서적 효과를 불러오고, 그것은 쉬운 이야기 전개에 힘을 받아 한층 강하게 와 닿는다.

작가 이청준이 즐겨 다루는 또 다른 모티브는 '고향'이다. <눈길>에서 고향과 모친은 존재의 출발점이자 근원이다.

우선 '고향'의 의미를 살펴보자. 객지를 떠돌던 사람이 돌아가 쉴 곳은 언제나 어린 시절의 기억이 묻어있는 고향이 될 것이다. 그러나 이 작품에서 고향은 찾았다가도 하루 이틀이면 다시 돌아서야 하는 불편한 장소로 그려진다.

“지열이 후끈거리는 뒤곁 콩밭 한가운데에 오리나무 무성한 묘지가 하나 있었다. 그 오리나무 그늘에 숨어앉아...나는 금세 어디서 묵은 빚 문서라도 불쑥 불거져 나올 것 같은 조마조마한 기분이었다..”

고향에 내려가 모친이 살고 있는 집을 "숨어서"본다는 표현부터가 고향에 대한 화자의 불편한 심기를 나타낸다. 술 때문에 집까지 날리고 처와 아이들을 남기고 일찍 세상을 뜬 형 때문에 불행했던 어린 시절을 보내야 했던 화자는 그래서 그런 기억이 묻어있는 고향에만 가면 ‘빚’생각이 나고 그것은 멀리서 모친의 집을 보기만 해도, 모친의 얼굴을 보기만 해도, 떠오르는 부채의식인 것이다.

고향의 또 다른 이름 즉 모친에 대해 작가 이청준은, 둘은 천륜 관계임에도 , 화자는 모친을 끝까지 ‘노인’이라 부른다. 그렇게 함으로써, 둘 사이를 ‘빚’을 조건으로 하는 단순한 거래 관계 내지는 채무채권의 관계로 설정하고 있다. 이것은, 그 ‘노인’이 의치를 해 넣거나 치질 수술을 받아야 할 때도 아들로부터 단순한 '말 선심'이나 끌어내는 존재로 그려지고 집을 새로 짓고 싶어할 땐 '노망난 '노인으로 표현된다.

"어쨌든 노인이 이제라도 그 집을 새로 짓고 싶어하고 있는 건 분명했다. 아무래도 알 수가 없는 일이었다...노인은 정말로 내게 빚이 없다는 사실을 잊어버리고 만 것일까. 노인의 말처럼 그건 이를테면 노망기가 분명했다. 그런 염치도 못 가릴 정도로 노인은 그렇게 늙어버린 것이었다.."

하지만 노인이 반듯한 집을 갖고 싶어하는 것은, "집 욕심 때문이 아니라 나 간 뒷일이 안 놓여"라고 한다. 하지만 노인의 진심이야 어찌됐든 '나'는 그런 노인이 짐스럽기만 하고, '빚'도 없건만, 자꾸 '빚독촉'을 하는 귀찮은 존재로 여긴다. 그런 맥락에서 모친이 고집스럽게 끌고 다니는 작은 '옷궤' 또한 아픈 과거를 떠올리게 하는 모친의 분신이자 또 다른 '집'이라 할 수 있다.

이렇듯, <눈길>에서 고향과 모친은 불편하고 어

색한 , 피하고 싶은 대상으로 그려진다. 그렇게 함으로서 아무리 피해도 달아날 수 없는 운명적 관계임을 역설적으로 말하고 있다.

작품의 인물 구도 역시 눈길을 끄는데, 화자인 '나'와 모친인 '노인' 사이에 '아내'''라는 중간자가 개입해서 이야기의 전말을 밝혀내고 있다. 내가 궁금해 하는 것을, 아내가 알아내고 내가 느끼는 것을 아내가 표현해서 결국 내게 슬픔과 카타르시스를 안겨주는 방식이다. 이것은, 모친과 나의 관계가 , 그만큼 일정 거릴 유지할 수밖에 없는 불편한 과거를 공유한 존재들임을 암시하기도 한다. 그러므로 '아내'는 '나'의 분신으로 해석될 수도 있다.

극적 효과를 배가시키기 위한 반어법도 등장하는데 <눈길>에서 가장 주의를 끄는 것은, 바로, '나'가 '노인'에게 절대 '빚이 없음'을 거듭 강조하는 부분이다. 이것은 작품 안에서 수없이 언급되고 있다.

"노인에 대해선 처음부터 빚이 있을 수 없는 떳떳한 처지였다... 빚이 있을 리 없지. 절대로! 글쎄 노인도 그걸 알고 있으니까 정면으로는 말을 꺼내지 못하질 않던가 말이다..그 옷궤만 보면 무슨 액면가 없는 빚 문서를 만난 듯 몹시 기분이 꺼림직스러워지곤 하던 물건이었다...잠이나 자자. 빚이고 뭐고 잠들면 그만이다. 노인에게 빚은 내가 무슨 빚이 있단 말인가.."

그런데 이 '빚' 애기는, 아내에겐 한 번도 들려준 일이 없는 '그 날 새벽의 서글픈 동행' 이야기가 시작된 뒤부턴, 작품에서 사라지게 된다. <눈길>의 클라이막스이기도 하다.

"노인의 말마따나 미끄러지고 넘어지면서, 내가 미끄러지면 노인이 나를 부축해 일으키고, 노인이 넘어지면 내가 당신을 부축해가면서, 그렇게 말없이 신작로까지 나섰다. 하지만 나는 그 길로는 차마 동네를 바로 들어설 수가 없어 잿등 위에 눈을 쓸고 아직도 한참이나 시간을 기다리고 앉아 있었더니라.."

그러나 노인의 이 기막힌 아침의 사연은, 차후, 내게 '새로운 빚'으로 남을 여지가 충분하다. 그렇게 해서, 나의 '빚 없음'은 영원히 '빚 있음'이 되고 그것은 바로, 모자 관계의 본질—영원히 청산될 수 없는 부채감을 공유-을 인식하고 받아들인다는 얘기가 되고 이것은 역설적으로 비로소 모자간에 화해가 시작됐다는 뜻으로 풀이된다.

이렇게 끝까지 화자가 모친을 '어머니'라 부르지 않고 '노인'이라 부른 것은 모자간의 슬픔과 화해, 정화의 도를 한층 견고히 하는 (억제함으로써 더욱 강조되는) 효과를 내고 있다.

작가는, <새가 운들>을 먼저 쓴 뒤, 이듬해 이 <눈길>을 썼다고 한다. <새가 운들>은 <눈길>과 비슷한 이야기를 갖고 있으나 다른 점이 있다면 모친이 죽은 줄도 모르고 고향으로 모친을 보러 간다는 부분이다. 그래서 작가는 <새가 운들>을 <눈길>의 '밑그림'이라 말하고 있다. 그만큼 작가는 고향과 노모, 그리고 빚의 문제에 천착해 있었다는 말이 될 듯 싶다.

"나의 시골 고향 사람들은 자기 집안이나 신상의 불상사를 늘 자신의 부덕과 허물 탓으로 돌려 스스로 부끄러움을 금치 못하곤 했다...그것은 그저 소박한 자기 원망이나 체념이 아니라 밝은 빛을 두려워

하고 그 빛 앞에 나서기를 부끄러워 하는 일종의 원죄 의식과도 같은 것이었다. 돌이켜보면, 나 역시도 아직 그 빛에 대한 두려움과 고향 사람들에게서와 같은 원죄 의식 비슷한 것에서 멀리 벗어나지 못하고...내 혈관과 뼛속에는 애초부터 그 빛에 대한 부끄러움과 원죄 의식 같은 것이 숙명으로 점지되어 깃들여진 듯 싶다"

참고로, 이 작품의 모친은, 작품이 발표된 1977년 이후 20여 년을 더 살다 갔다 한다.

## 19. 캐롤 모티머 장편 <로맨틱가든>
### -상처와 치유

이 작품은 '상처'에 관한 이야기를 다루고 있다. 그 상처는 시간조차 파괴하지 못하는 마성을 지닌 것이며 인간은 그 안에서 영원히 자유로울 수 없음을 보여준다. 그리고, 런던이 아닌 애버튼이라는 한적한 시골 마을에서 조차 인간 사이의 정이나 배려보다는 서로에 대한 억측과 과거사를 빌미로 한 비아냥이 난무함을 보여줌으로서 세상에 '진정한 낙원'은 없음을 말하고 있다.

TV 토크쇼 진행자로 이름을 날리던 뷰는 교통사고로 일을 그만두고 한적한 시골 마을 애버튼으로 내려와 그곳에서 정원사로 일하는 여자 재즈를 만난다. 둘은 15살의 나이 차가 나고 살아온 환경이나 내력이 달라서 감히 애정을 꿈꾸기 어렵지만 결국 '상처'라는 공통분모가 있어 연인이 된다.

뷰의 첫 결혼은 이기적인 아내 때문에 실패로 돌아가고 일에서도 사고로 슬럼프에 빠져 있는 상황이다.

재즈는 모친이 같은 마을 유부남과 야반도주 뒤 같이 죽었다는 오명을 뒤집어쓰고 살아가고 있다.

캐롤 모티머 1960-

아이러니한 것은, 그런 일이 근엄과 순결을 상징하는 목사 가문에서 벌어졌다는 것이다. 여기서 기성 종교에 대한 작가의 반발과 회의가 드러난다. 그러나 이런 복잡한 덫들은 결국 재즈가 뷰를 따라 런던으로 가게 됨으로서 부분적으로나마 해소된다.

이렇듯, '상처'를 모티브로 로맨스를 이야기하면서도 추리의 흐름을 타고 있다. 그것은 재즈 엄마에게 남편을 뺏겼던 마들렌이라는 여자의 존재인데 뷰를 처음 본 순간 그에게 빠져든다. 그러나  뷰가 사랑하는 건 마들렌이 아닌 재즈이다. 마들렌은 재즈에게 계속 모욕적인 메모를 남기고 재즈는 그 메모의 주인공이 그리도 믿었던 마들렌임을 알고는 충격에 빠진다.

이 지점에서 '상처'의 문제가  다시 부각되는데, 같은 상처를 공유하고 있다 해도 피해자와 가해자의 입장은 같을 수 없고 마음의 향방 또한 같을 수 없음을 보여준다.

그러나 이 소설은 이 문제를 더 이상 무겁게 끌고 가지 않는다. 라이트 노벨답게 화해와 용서라는 차원에서 이 문제를 마무리 짓고 두 주인공에게 해피엔딩을 안겨준다.

그래선지 다 읽고 난 뒤의 느낌은 어둡고 탁한 것이 아닌, 설레고 밝은 것이다. 마치 런던을 향해 떠남으로서 새로운 인생을 맞이하게 된 재즈의 마음처럼.

요약하면 이 소설은 로맨스라는 틀 속에 추리적 요소를 가미해 지루하지 않고 상처받은 여자 마들렌의 복수 행각에 초점을 맞춰 “The Vengeance affair” 라는 제목 (원제)를 달았지만 그런 비루한 인간사를 극복하는 것 또한 또 다른 의미의 ‘당당한 복수’라는 증폭된 메시지를 깔고 간다.

그리고 재즈의 직업이 정원사라는 것도 주목할 만한데, 여기선 일종의 치료사로 해석될 수 있다. 여타의 아픔과 수치스런 과거로 인해 비틀거리는 현재를 안고 살아가는 인간 군상이 모여있는 애버튼이라는 정원을 떠나지 않고 힘들지만 정성 들여 손질하고 물과 영양을 주며 희망의 씨앗을 뿌려왔다는 뜻이다.

그녀는 한층 더 복잡할 런던이라는 대도시에서 훨씬 더 성숙한 사회 구성원으로 살아갈 것을 예견케 하고 그로서 상처와 치유라는 테마는 한껏 그 스케일을 넓혀갈 것이다.

## 20. 양영제 사회심리학 <재혼하면 행복할까>(개정판)

-홀몸과 그를 바라보는 사회의 편견

OECD회원국 상위에 랭크돼 있는 한국의 이혼율은 다분히 가치관의 변화에 기인한다 볼 수 있다. 과거엔 무조건 참고 가정을 지켜야 한다는 통념이 강했다면 이젠 개인의 행복을 중시하는 방향으로 패턴이 바뀌었다.

하루에 평균 300쌍이 이혼한다는 우리의 현실이지만 이런 홀몸들을 위한 제도적 장치는 미흡하기 이를 데 없다. 굳이 있다고 한다면 인터넷 재혼클럽이나 커플 매니저가 속해 있는 결혼정보회사 정도가 전부일 것이다.

그런가하면 특히 홀몸 남성의 성적 낭패감을 '처참하리만큼 비참하다'라고 쓰고 있다. 이혼이든 사별이든 홀몸됨은 유지해 오던 성적 접촉의 단절을 의미하기 때문이다.

양영제 1961-

이 책은 여러 사례를 예로 들면서 홀몸들의 불안한 연애과정과 힘겨운 재혼, 재이혼, 삼혼과 동거, 별거, 다시 홀몸으로의 귀환 등을 자세히 언급하고 있다.

당장의 성적 갈급함을 달래기 위해 섹스를 위주로 한 만남은 끝내는 이별로 귀결될 수밖에 없음을 보여준다.

그리고 남녀의 성性에 대한 개념 차이도 확실하게 드러내는데 여자는 아무리 재혼이어도 남자의 '첫 상대'가 되고 싶어함을 남자들은 쉽게 간과한다는 것이다.

그러다 보면 서로간의 충돌이 발생할 수 밖에 없다. 그리고 서로가 원하는 건 단순한 성적측면의 만족이 아니라 물적, 즉 경제적 측면까지 포함된다는 것이다. 이것이 초혼일 때와 다른 점이다.

초혼도 물론 '물적'조건을 무시할 순 없지만 재혼만큼 절대적이진 않다. 초혼은 그나마 둘이 함께 이뤄간다는 개념이 바탕에 깔려있기 때문이다.

사별자에 관한 이야기도 그려지는데 그들 안엔 두 개방의 방이 존재한다고 한다. 하나는 전 배우자에 대한 그리움의 방, 다른 하나는 새사람을 위한 방이다. 그렇기에 전자를 무시하고 전 배우자에 대한 미련이 새 배우자인 나에게 오롯이 전이 될 거라고 믿고 재혼을 한다면 결과는 좋을 리가 없다. 특히 사별자들의 자식에 대한 애착은 거의 병적에 가깝다. 그러므로 사별자에게서 보여지는 '기억의 편집' '선택적 기억'이란 부분을 고려하지 않고는 원만한 재혼생활이 불가하다.

흔히들 '여자 나이 50 넘으면 다 똑같다'라고들 한다. 정말 그런가는 개개인의 판단에 맡기기로 하고, 한 예로 명문대 출신의 이혼녀는 그것을 무기로 재혼 시장을 장악하려 하지만  남자의 입장에서는 그만큼 피곤한 상대가 없다는 것이다. 물론 좋은 스펙에 경제력이 뒷받침 된다면야 부담감이 덜하겠지만 그런 경우가 흔치 않다는게 문제다. 남자가 경제력을 도맡아야 한다는 통설이 이제는 뒤집혔기 때문이다.

그러나 뭐니뭐니 해도 재혼가정의  가장 큰 걸림돌은 전 배우자들의 자녀들이라고 할 수 있다. 대부분의 홀몸 남녀들은 새 배우자에게 자기 자식들의 친부모역할을 기대하는데 그것은 단언컨대 불가능하다. 천륜이란 노력한다고 되는 게 아니기 때문이다. 노력 자체를 가상히 여겨야지, 그 이상이 되지 못한다고 타박하고 서운해 하면 그 결합은 파경을 맞을 수밖에 없다. 그러면서도 일부 남성들은 '아이를 양육하지 않는 여자'에 대한 묘한 편견을 갖고 있음도 지적한다. 여자를 '모성애'라는 틀속에 가두려는 가부장적 발상이다.

충격적인 통계지만, 재혼 2년 내에 80%가 재이혼

을 한다고 한다. 특히 60 넘어 하는 황혼 재혼의 경우 90%가 파경에 이른다. 그 이유야 저마다 다를 수 있겠지만, 연령을 뛰어넘어 자기와 주변 정리를 덜한 데서 오는 결과는 아닐까? 새 사람을 맞고 그와 새 가정을 꾸리기 전에 이미 전 배우자나 전 상황에 대한 마음의 정리가 덜 돼있기 때문이라고 볼 수 있다.

그리고  재혼을 굳이 '같은 공간'에 사는 데에 한정할 필요는 없다. 서로에게 딸린 자녀와 그 외 가족들이 서로 적응해가는 '따로 또 같이 사는' 시간이 필요하고 상속 문제등이 포함된 '재혼합의서'도 제안하고 있다.

그래선지 두 번의 실패를 겪은 삼혼의 결혼 혼인유지율은 비교적 높다고 쓰고 있다. 그것은 분명 앞선 두 번의 실패가 안겨준 뼈아픈 교훈에 기인할 것이다.

사별은 논외라 해도 이혼은 저마다의 사연이 있어 뭐라 단언키 어려운 부분이 있다. 다신 결혼같은 건 안한다는 홀몸들이 있는가 가면 전 배우자들과의 재결합을 꿈꾸는 사례도 있을테고 새로운 사람과의 새로운 결혼을 꿈꾸는 이들도 적지않다. 그런가하면 결혼이라는 '제도'를 꼭 필요로 하냐는 데 의문을 갖는 이도 많아진게 사실이다. 제도가 주는 안정감을 선호한다면 결혼을 할테고 그런 것에서 자유롭길 원한다면 동거를 할 것이다. 그래선가 초판본과는 달리 이 책의 후반은 '동거'에 관한 이야기로 구성돼 있고 이런 동거 마저 속박이라 느낀다면 따로 살면서 이따금 서로의 사랑을  확인하는 방법도 있을 것이다.

그 무엇을 택하느냐는 전적으로 개인의 자유이지, 사회가 그걸 재단하고 평가할 사안이 아니다. 그러나 그 어떤 형태든 그것은 삶에 대해 궁극적으로 '희망'을 갖고자 하는 노력이고 키에르케고르의 말처럼 '희망을 버리는 것은 죽음에 이르는 길'이기 때문이다.

하지만 일단은 사랑하고 그 다음은 섭리에 맡기는 것도 나쁘지 않다. 설사 그 결합이 파경을 맞는다 해도 사랑의 기억은 이혼의 아픔을 뛰어넘는다. 그래서 우린 이혼하고 또 새로운 사랑을 찾아 헤매는 재혼시장의 미아가 기꺼이 되는 건 아닐까? 이제 이혼은 흠이 아닌 세상이 왔고 드러나지 않은 이런 홀몸들이 도처에 살고 있다. 다시말해 '홀몸 세상'이 도래한 것이다. 홀몸됨을 숨기고 부끄러워할 필요가 없다. 이런 시대적 흐름에 맞춰 사회도 이제 홀몸들을 위한 오픈되고 효율적인  제도를 마련할 때가 되었다.

연애보다 서툰 나의 독서일기

발 행 | 2024년 3월30일
저 자 | 박순영
펴낸이 | 로맹
펴낸곳 | 로맹
출판사등록 | 2023.12.14
주 소 | 서울특별시 성북구 보국문로 30길15
이메일 | jill99@daum.net

ISBN | 979-11-986265-8-5

www.romainpublish.modoo.at